상위권으로 가는 문제 해결 연산 학습지

응용연산

C2
초3 ~ 초4

여러 가지 분수

Creative to Math
씨투엠

응용연산 : 상위권으로 가는 문제해결 연산 학습지

요즘 아이들은 초등학교 입학 전에 연산 문제집 한 권 정도는 풀어본 경험이 있습니다. 어릴 때부터 연산 문제를 많이 풀었기 때문에 아이들은 아직 학교에서 배우지 않은 계산 문제를 슥슥 풀어서 부모님들을 흐뭇하게 만들기도 합니다. 그런데 아이들의 연산 능력은 날로 높아지지만 수학 실력은 과거에 비해 그다지 늘지 않은 것 같습니다. 사실 진짜 수학 실력은 연산 문제나 사고력 수학 문제를 주로 푸는 초등 저학년 때는 잘 드러나지 않습니다. 응용 문제를 본격적으로 풀기 시작하는 초등 3, 4학년이 되어서야 아이의 수학 실력을 판별할 수 있습니다.

초등 수학에서 연산이 가장 중요한 것은 부정할 수 없는 사실입니다. 중학생, 고등학생이 되어서 부족한 연산 능력을 키우는 것은 거의 불가능합니다. 이러한 연산의 특수성 때문에 아이들은 어린 나이부터 연산을 반복적으로 연습하여 실력을 키우려고 합니다. 이렇게 열심히 연산을 공부하는데도 왜 어떤 아이들은 수학 문제를 잘 풀지 못하는 것일까요? 그 이유는 현재 연산 학습의 목적이 단지 '계산을 잘 하는 것'이 되어버렸기 때문입니다. 연산은 연산 자체가 목적이 될 수 없으며 수학의 진짜 목표인 문제를 잘 풀기 위한 수단으로 연산을 학습해야 합니다.

과거 초등 수학 교과서의 연산 단원은 ① 원리와 연습 ② 문장제 활용의 단순한 구성이었습니다만 요즘의 교과서는 많이 달라졌습니다. 원리와 연습은 그대로이거나 조금 줄었지만 연산을 응용하는 방식은 좀 더 다양해졌습니다. 계산 능력의 향상만을 꾀하는 것이 아니라 여러 가지 퍼즐이나 수학적 상황 등을 해결할 수 있는 '응용력'에 초점을 맞추고 있다는 것을 보여주는 변화입니다. 따라서 저희는 연산 학습지도 원리나 연습 위주에서 벗어나 실제 문제를 해결할 수 있는 능력에 포인트를 맞추어야 한다고 생각합니다.

'연산은 잘 하는데 수학 문제는 왜 못 풀까요?'에 대한 대답이자 대안으로 저희는 「응용연산」이라는 새로운 컨셉의 연산 학습지를 만들었습니다. 연산 원리를 이해하고 연습하는 것에 그치지 않고, 익힌 것을 활용하는 방법을 바로 보여줄 수 있어야 아이들이 수학 문제에 연산을 효과적으로 적용할 수 있습니다. 연습은 꼭 필요한 만큼만 하고, 더 중요한 응용 문제에 바로 도전함으로써 연산과 문제 해결이 단절되지 않게 하는 것이 「응용연산」에서 기대하는 가장 큰 목표입니다.

「응용연산」을 통해 아이들이 왜 연산을 해야 하는지 스스로 느낄 수 있을 것이라 자신합니다. 이제 연산은 '원리'나 '연습'이 아닌 스스로 문제를 해결할 수 있는 '응용력'입니다.

응용연산의 구성과 특징

- 매일 부담없이 4쪽씩 연산 학습
- 매주 4일간 단계별 연산 학습과 응용 문제를 통한 연산 실력 확인
- 매주 1일 형성평가로 테스트 및 복습

주차별 구성

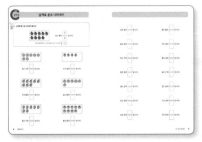

원리연산
대표 문제를 통해 학습하는 매일 새로운 단계별 연산 학습

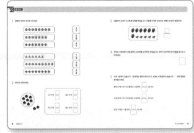

응용연산
기본 문제와 응용 문제를 통한 응용력과 문제해결력 증진

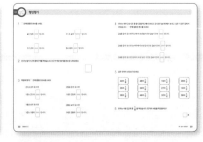

형성평가
가장 중요한 유형을 다시 한번 복습하며 주차 학습 마무리

1주차	1일	2일	3일	4일	5일
	6쪽 ~ 9쪽	10쪽 ~ 13쪽	14쪽 ~ 17쪽	18쪽 ~21쪽	22쪽 ~ 24쪽

2주차	1일	2일	3일	4일	5일
	26쪽 ~ 29쪽	30쪽 ~ 33쪽	34쪽 ~ 37쪽	38쪽 ~41쪽	42쪽 ~ 44쪽

3주차	1일	2일	3일	4일	5일
	46쪽 ~ 49쪽	50쪽 ~ 53쪽	54쪽 ~ 57쪽	58쪽 ~61쪽	62쪽 ~ 64쪽

4주차	1일	2일	3일	4일	5일
	66쪽 ~ 69쪽	70쪽 ~ 73쪽	74쪽 ~ 77쪽	78쪽 ~81쪽	82쪽 ~ 84쪽

정답 및 해설

문제와 답을 한눈에 볼 수 있습니다.

이 책의 차례

1주차

분수 나타내기

분수로 나타내는 방법 알아보기

 개념 원리

낱개로 분수 나타내기

낱개를 분수로 나타내어 봅시다.

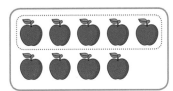

5는 9의 $\dfrac{5}{9}$ 입니다.

전체가 9개일 때 그중 5개를 분수로 나타내면 $\dfrac{5}{9}$ ←부분의 수 ←전체의 수

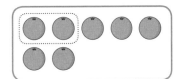

2는 7의 $\dfrac{\square}{\square}$ 입니다.

1은 4의 $\dfrac{\square}{\square}$ 입니다.

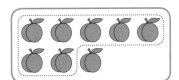

7은 8의 $\dfrac{\square}{\square}$ 입니다.

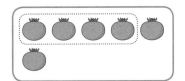

4는 6의 $\dfrac{\square}{\square}$ 입니다.

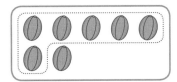

6은 7의 $\dfrac{\square}{\square}$ 입니다.

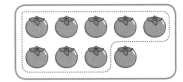

8은 9의 $\dfrac{\square}{\square}$ 입니다.

3은 4의 $\dfrac{\Box}{\Box}$ 입니다.

6은 8의 $\dfrac{\Box}{\Box}$ 입니다.

6은 4의 $\dfrac{\Box}{\Box}$ 입니다.

7은 3의 $\dfrac{\Box}{\Box}$ 입니다.

5는 7의 $\dfrac{\Box}{\Box}$ 입니다.

8은 3의 $\dfrac{\Box}{\Box}$ 입니다.

6은 5의 $\dfrac{\Box}{\Box}$ 입니다.

4는 7의 $\dfrac{\Box}{\Box}$ 입니다.

9는 2의 $\dfrac{\Box}{\Box}$ 입니다.

2는 5의 $\dfrac{\Box}{\Box}$ 입니다.

5는 3의 $\dfrac{\Box}{\Box}$ 입니다.

1은 4의 $\dfrac{\Box}{\Box}$ 입니다.

3은 2의 $\dfrac{\Box}{\Box}$ 입니다.

7은 5의 $\dfrac{\Box}{\Box}$ 입니다.

응용연산

1 알맞은 것끼리 선으로 이으세요.

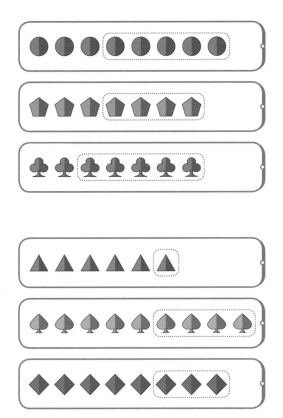

$\dfrac{5}{7}$

$\dfrac{5}{8}$

$\dfrac{4}{7}$

$\dfrac{1}{6}$

$\dfrac{4}{9}$

$\dfrac{3}{8}$

2 분수로 나타내세요.

1은 7의 $\dfrac{\Box}{\Box}$ 6은 7의 $\dfrac{\Box}{\Box}$

7은 7의 $\dfrac{\Box}{\Box}$ 9는 7의 $\dfrac{\Box}{\Box}$

3 다람쥐가 도토리 12개 중 5개를 먹었습니다. 다람쥐가 먹은 도토리는 전체의 몇 분의 몇일까요?

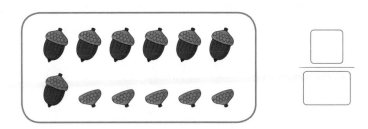

4 연우는 10자루의 연필 중에서 3자루를 친구에게 주었습니다. 연우가 친구에게 준 연필을 분수로 나타내세요.

5 사과 15개가 있습니다. 그중 8개는 할머니께 드리고, 4개는 이웃집에 드렸습니다. ☐ 안에 알맞은 분수를 쓰세요.

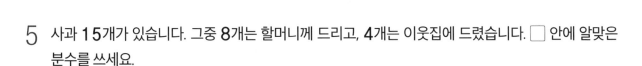

할머니께 드린 사과 8개는 15개의 ☐/☐ 입니다.

이웃집에 드린 사과 4개는 15개의 ☐/☐ 입니다.

남은 사과는 15개의 ☐/☐ 입니다.

묶음으로 분수 나타내기

개념
원리

똑같이 묶은 다음 분수로 나타내어 봅시다.

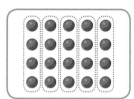

8은 20을 똑같이 $\boxed{5}$ 묶음으로 나눈 것 중의 $\boxed{2}$ 묶음입니다.

8은 20의 $\boxed{\dfrac{2}{5}}$ 입니다.

구슬 20개를 똑같이 4개씩 묶으면 5묶음이 됩니다.

구슬 8개는 5묶음으로 나눈 것 중의 2묶음이므로 $\dfrac{2}{5}$ ← 부분 묶음의 수
← 전체 묶음의 수

9는 21을 똑같이 $\boxed{}$ 묶음으로 나눈 것 중의 $\boxed{}$ 묶음입니다.

9는 21의 $\boxed{}$ 입니다.

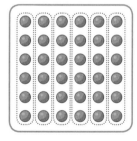

30은 36을 똑같이 $\boxed{}$ 묶음으로 나눈 것 중의 $\boxed{}$ 묶음입니다.

30은 36의 $\boxed{}$ 입니다.

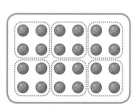

16은 24를 똑같이 $\boxed{}$ 묶음으로 나눈 것 중의 $\boxed{}$ 묶음입니다.

16은 24의 $\boxed{}$ 입니다.

2는 10의 $\dfrac{\boxed{}}{5}$

8은 10의 $\dfrac{\boxed{}}{5}$

3은 12의 $\dfrac{\boxed{}}{4}$

9는 12의 $\dfrac{\boxed{}}{4}$

4는 16의 $\dfrac{\boxed{}}{4}$

8은 16의 $\dfrac{\boxed{}}{4}$

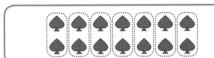

2는 14의 $\dfrac{\boxed{}}{7}$

6은 14의 $\dfrac{\boxed{}}{7}$

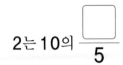

6은 18의 $\dfrac{\boxed{}}{3}$

12는 18의 $\dfrac{\boxed{}}{3}$

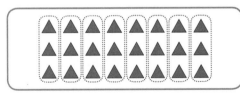

3은 24의 $\dfrac{\boxed{}}{8}$

15는 24의 $\dfrac{\boxed{}}{8}$

1 그림을 보고 ☐ 안에 알맞은 분수를 쓰세요.

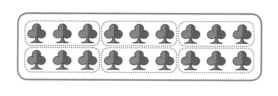

6은 18의 $\dfrac{}{}$

15는 18의 $\dfrac{}{}$

12는 18의 $\dfrac{}{}$

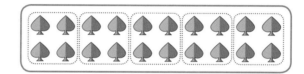

4는 20의 $\dfrac{}{}$

12는 20의 $\dfrac{}{}$

16은 20의 $\dfrac{}{}$

2 묶음에 맞게 ☐ 안에 알맞은 분수를 쓰세요.

16을 4씩 묶으면

4는 16의 $\dfrac{}{}$ 입니다.

20을 5씩 묶으면

15는 20의 $\dfrac{}{}$ 입니다.

30을 5씩 묶으면

25는 30의 $\dfrac{}{}$ 입니다.

28을 7씩 묶으면

14는 28의 $\dfrac{}{}$ 입니다.

3 다음은 **18**을 여러 가지 방법으로 묶은 것입니다. 묶음에 맞게 ☐ 안에 알맞은 분수를 쓰세요.

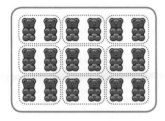

12는 18의 ⬚/⬚

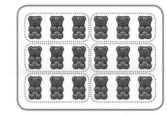

12는 18의 ⬚/⬚

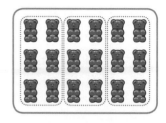

12는 18의 ⬚/⬚

4 참외가 **21**개 있습니다. 그중 **6**개는 할머니께 드리고, **12**개는 이웃집에 드렸습니다. ☐ 안에 알맞은 분수를 쓰세요.

21을 3씩 묶으면 할머니께 드린 참외 6개는 21개의 ⬚/⬚ 입니다.

21을 3씩 묶으면 이웃집에 드린 참외 12개는 21개의 ⬚/⬚ 입니다.

21을 3씩 묶으면 남은 참외는 21개의 ⬚/⬚ 입니다.

단위분수만큼

분자가 1인 분수를 단위분수라고 합니다. 단위분수만큼은 얼마인지 알아봅시다.

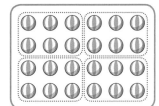

24의 $\dfrac{1}{4}$은 6 ← $24 \div 4$

구슬 24개를 4묶음으로 만들면 1묶음이 6입니다.

$24 \div 4 = 6$

24의 $\dfrac{1}{4}$은 $24 \div 4$의 몫과 같습니다.

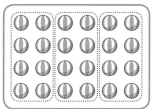

24의 $\dfrac{1}{3}$은 8 ← $24 \div 3$

구슬 24개를 3묶음으로 만들면 1묶음이 8입니다.

$24 \div 3 = 8$

24의 $\dfrac{1}{3}$은 $24 \div 3$의 몫과 같습니다.

30의 $\dfrac{1}{5}$은 □

28의 $\dfrac{1}{7}$은 □

15의 $\dfrac{1}{5}$은 □

32의 $\dfrac{1}{4}$은 □

16의 $\frac{1}{8}$ 은 ☐

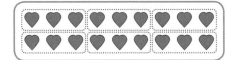

18의 $\frac{1}{6}$ 은 ☐

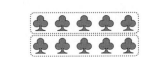

10의 $\frac{1}{2}$ 은 ☐

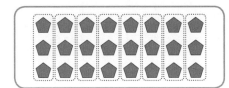

24의 $\frac{1}{8}$ 은 ☐

14의 $\frac{1}{7}$ 은 ☐

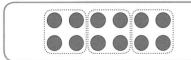

12의 $\frac{1}{3}$ 은 ☐

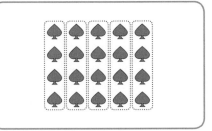

20의 $\frac{1}{5}$ 은 ☐

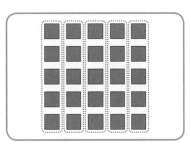

25의 $\frac{1}{5}$ 은 ☐

1 　같은 것끼리 선으로 이으세요.

42의 $\dfrac{1}{6}$	81의 $\dfrac{1}{9}$	15의 $\dfrac{1}{3}$	24의 $\dfrac{1}{3}$
54의 $\dfrac{1}{9}$	35의 $\dfrac{1}{5}$	40의 $\dfrac{1}{5}$	24의 $\dfrac{1}{6}$
27의 $\dfrac{1}{3}$	48의 $\dfrac{1}{8}$	36의 $\dfrac{1}{9}$	35의 $\dfrac{1}{7}$

2 　□ 안에 알맞은 수를 쓰세요.

5의 $\dfrac{1}{5}$ 은 $\boxed{}$ 입니다.

6의 $\dfrac{1}{3}$ 은 $\boxed{}$ 입니다.

9의 $\dfrac{1}{3}$ 은 $\boxed{}$ 입니다.

15의 $\dfrac{1}{5}$ 은 $\boxed{}$ 입니다.

24의 $\dfrac{1}{12}$ 은 $\boxed{}$ 입니다.

36의 $\dfrac{1}{6}$ 은 $\boxed{}$ 입니다.

3 ☐ 안에 알맞은 수를 쓰세요.

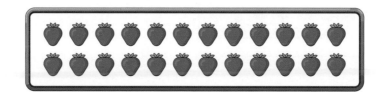

24의 $\frac{1}{2}$은 ☐ 입니다.   24의 $\frac{1}{3}$은 ☐ 입니다.

24의 $\frac{1}{4}$은 ☐ 입니다.   24의 $\frac{1}{6}$은 ☐ 입니다.

24의 $\frac{1}{8}$은 ☐ 입니다.   24의 $\frac{1}{12}$은 ☐ 입니다.

4 철민이는 구슬 28개 중 $\frac{1}{4}$을 동생에게 주었습니다. 동생에게 준 구슬은 몇 개일까요?

☐ 개

5 정희는 우표를 36장 가지고 있습니다. 그중에서 $\frac{1}{6}$을 동생에게 주고 $\frac{1}{4}$을 언니에게 주려고 합니다.
동생과 언니에게 준 우표는 각각 몇 장일까요?

동생에게 준 우표: ☐ 장, 언니에게 준 우표: ☐ 장

분수만큼

개념
원리

분수만큼은 얼마인지 알아봅시다.

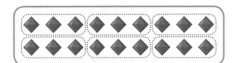

18의 $\frac{1}{6}$ 은 3 ← 18 ÷ 6

$\frac{5}{6}$ 는 $\frac{1}{6}$ 이 5 개

18의 $\frac{5}{6}$ 는 15 ← 3 × 5

보석 18개를 3개씩 묶으면 6묶음이 됩니다. 18의 $\frac{5}{6}$ 는 6묶음 중 5묶음이므로 15입니다.

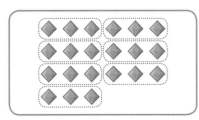

21의 $\frac{1}{7}$ 은 ☐

$\frac{4}{7}$ 는 $\frac{1}{7}$ 이 ☐ 개

21의 $\frac{4}{7}$ 는 ☐

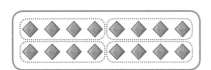

16의 $\frac{1}{4}$ 은 ☐

$\frac{3}{4}$ 은 $\frac{1}{4}$ 이 ☐ 개

16의 $\frac{3}{4}$ 은 ☐

$\left[\begin{array}{l}
25\text{의 } \dfrac{1}{5} \text{은 } \boxed{} \text{입니다.}\\
25\text{의 } \dfrac{3}{5} \text{은 } \boxed{} \text{입니다.}
\end{array}\right.$

$\left[\begin{array}{l}
27\text{의 } \dfrac{1}{3} \text{은 } \boxed{} \text{입니다.}\\
27\text{의 } \dfrac{2}{3} \text{는 } \boxed{} \text{입니다.}
\end{array}\right.$

$\left[\begin{array}{l}
18\text{의 } \dfrac{1}{3} \text{은 } \boxed{} \text{입니다.}\\
18\text{의 } \dfrac{2}{3} \text{는 } \boxed{} \text{입니다.}
\end{array}\right.$

$\left[\begin{array}{l}
20\text{의 } \dfrac{1}{4} \text{은 } \boxed{} \text{입니다.}\\
20\text{의 } \dfrac{3}{4} \text{은 } \boxed{} \text{입니다.}
\end{array}\right.$

$\left[\begin{array}{l}
24\text{의 } \dfrac{1}{6} \text{은 } \boxed{} \text{입니다.}\\
24\text{의 } \dfrac{4}{6} \text{는 } \boxed{} \text{입니다.}
\end{array}\right.$

$\left[\begin{array}{l}
14\text{의 } \dfrac{1}{7} \text{은 } \boxed{} \text{입니다.}\\
14\text{의 } \dfrac{5}{7} \text{는 } \boxed{} \text{입니다.}
\end{array}\right.$

$\left[\begin{array}{l}
30\text{의 } \dfrac{1}{5} \text{은 } \boxed{} \text{입니다.}\\
30\text{의 } \dfrac{4}{5} \text{는 } \boxed{} \text{입니다.}
\end{array}\right.$

$\left[\begin{array}{l}
28\text{의 } \dfrac{1}{4} \text{은 } \boxed{} \text{입니다.}\\
28\text{의 } \dfrac{2}{4} \text{는 } \boxed{} \text{입니다.}
\end{array}\right.$

1 그림을 보고 ☐ 안에 알맞은 수를 쓰세요.

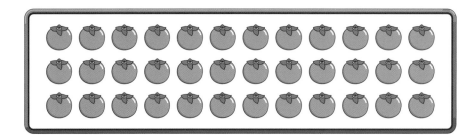

36의 $\dfrac{2}{3}$ 는 ☐   36의 $\dfrac{3}{4}$ 은 ☐

36의 $\dfrac{3}{6}$ 은 ☐   36의 $\dfrac{5}{6}$ 는 ☐

36의 $\dfrac{4}{9}$ 는 ☐   36의 $\dfrac{9}{12}$ 는 ☐

2 ☐ 안에 알맞은 수를 쓰세요.

5의 $\dfrac{3}{5}$ 은 ☐ 입니다.   6의 $\dfrac{2}{3}$ 는 ☐ 입니다.

12의 $\dfrac{2}{4}$ 는 ☐ 입니다.   16의 $\dfrac{3}{4}$ 은 ☐ 입니다.

18의 $\dfrac{4}{6}$ 는 ☐ 입니다.   24의 $\dfrac{5}{8}$ 는 ☐ 입니다.

3 다음 중 가장 큰 수에 ◯표, 가장 작은 수에 △표 하세요.

25의 $\frac{2}{5}$ 35의 $\frac{2}{5}$ 20의 $\frac{4}{5}$ 35의 $\frac{3}{7}$ 30의 $\frac{3}{5}$

32의 $\frac{3}{8}$ 28의 $\frac{2}{4}$ 21의 $\frac{3}{7}$ 24의 $\frac{4}{6}$ 27의 $\frac{5}{9}$

4 다연이의 하루입니다. ☐ 안에 알맞은 수를 쓰세요.

• 하루 24시간의 $\frac{1}{3}$ 은 잠을 잡니다. ➡ ☐ 시간

• 하루 24시간의 $\frac{1}{4}$ 은 공부를 합니다. ➡ ☐ 시간

• 하루 24시간의 $\frac{1}{8}$ 은 밥을 먹습니다. ➡ ☐ 시간

• 남은 ☐ 시간은 취미 활동을 합니다.

5 호성이는 색종이 24장 중 $\frac{3}{4}$ 을 썼습니다. 남은 색종이는 몇 장일까요?

☐ 장

1 ⬜ 안에 알맞은 분수를 쓰세요.

4는 5의  입니다.   11은 4의  입니다.

7은 2의 ⬜/⬜ 입니다.   5는 6의 ⬜/⬜ 입니다.

2 진구는 딸기 12개 중에 7개를 먹었습니다. 진구가 먹은 딸기를 분수로 나타내세요.

3 묶음에 맞게 ⬜ 안에 알맞은 분수를 쓰세요.

21을 3씩 묶으면   25를 5씩 묶으면

15는 21의  입니다.   10은 25의  입니다.

16을 4씩 묶으면   28을 4씩 묶으면

12는 16의 ⬜/⬜ 입니다.   16은 28의 ⬜/⬜ 입니다.

4 연수는 하루 **24**시간 중 **6**시간을 학교에서 보내고 **3**시간은 놀이터에서 보내고, 남은 시간은 집에서 보냈습니다. ☐ 안에 알맞은 분수를 쓰세요.

24를 **3**씩 묶으면 학교에서 보낸 **6**시간은 **24**시간의 $\dfrac{\Box}{\Box}$ 입니다.

24를 **3**씩 묶으면 놀이터에서 보낸 **3**시간은 **24**시간의 $\dfrac{\Box}{\Box}$ 입니다.

24를 **3**씩 묶으면 집에서 보낸 남은 시간은 **24**시간의 $\dfrac{\Box}{\Box}$ 입니다.

5 같은 것끼리 선으로 이으세요.

40의 $\dfrac{1}{8}$	48의 $\dfrac{1}{8}$	16의 $\dfrac{1}{4}$	28의 $\dfrac{1}{7}$
35의 $\dfrac{1}{5}$	30의 $\dfrac{1}{6}$	27의 $\dfrac{1}{3}$	16의 $\dfrac{1}{2}$
36의 $\dfrac{1}{6}$	49의 $\dfrac{1}{7}$	32의 $\dfrac{1}{4}$	36의 $\dfrac{1}{4}$

6 민우는 사탕 **32**개 중 $\dfrac{1}{8}$ 을 먹었습니다. 몇 개의 사탕을 먹었을까요?

☐ 개

7 ☐ 안에 알맞은 수를 쓰세요.

$\left[\begin{array}{l} 16의 \dfrac{1}{4} 은 \boxed{} 입니다. \\[12pt] 16의 \dfrac{3}{4} 은 \boxed{} 입니다. \end{array}\right.$

$\left[\begin{array}{l} 21의 \dfrac{1}{7} 은 \boxed{} 입니다. \\[12pt] 21의 \dfrac{5}{7} 는 \boxed{} 입니다. \end{array}\right.$

$\left[\begin{array}{l} 25의 \dfrac{1}{5} 은 \boxed{} 입니다. \\[12pt] 25의 \dfrac{2}{5} 는 \boxed{} 입니다. \end{array}\right.$

$\left[\begin{array}{l} 18의 \dfrac{1}{3} 은 \boxed{} 입니다. \\[12pt] 18의 \dfrac{2}{3} 는 \boxed{} 입니다. \end{array}\right.$

8 ☐ 안에 알맞은 수를 쓰세요.

8의 $\dfrac{3}{4}$ 은 $\boxed{}$ 입니다.

10의 $\dfrac{4}{5}$ 는 $\boxed{}$ 입니다.

20의 $\dfrac{3}{5}$ 은 $\boxed{}$ 입니다.

28의 $\dfrac{3}{4}$ 은 $\boxed{}$ 입니다.

24의 $\dfrac{6}{8}$ 은 $\boxed{}$ 입니다.

14의 $\dfrac{2}{7}$ 는 $\boxed{}$ 입니다.

9 소정이는 한 달 30일 중 $\dfrac{2}{5}$ 는 책을 읽었습니다. 책을 읽지 않은 날은 며칠일까요?

$\boxed{}$ 일

2주차

분수의 종류

진분수, 가분수, 대분수 알아보기

진분수와 가분수

↑가 가리키는 분수를 쓰고, 진분수인지 가분수인지 알아봅시다.

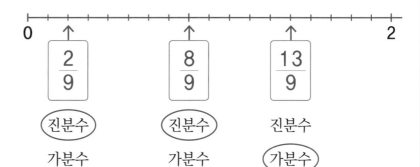

$\frac{1}{9}$, $\frac{2}{9}$, $\frac{3}{9}$ 과 같이 분자가 분모보다 작은 분수를 진분수라고 하고,

$\frac{9}{9}$, $\frac{10}{9}$, $\frac{11}{9}$ 과 같이 분자가 분모와 같거나 분모보다 큰 분수를 가분수라고 합니다.

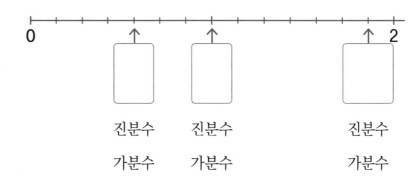

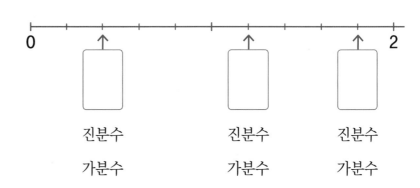

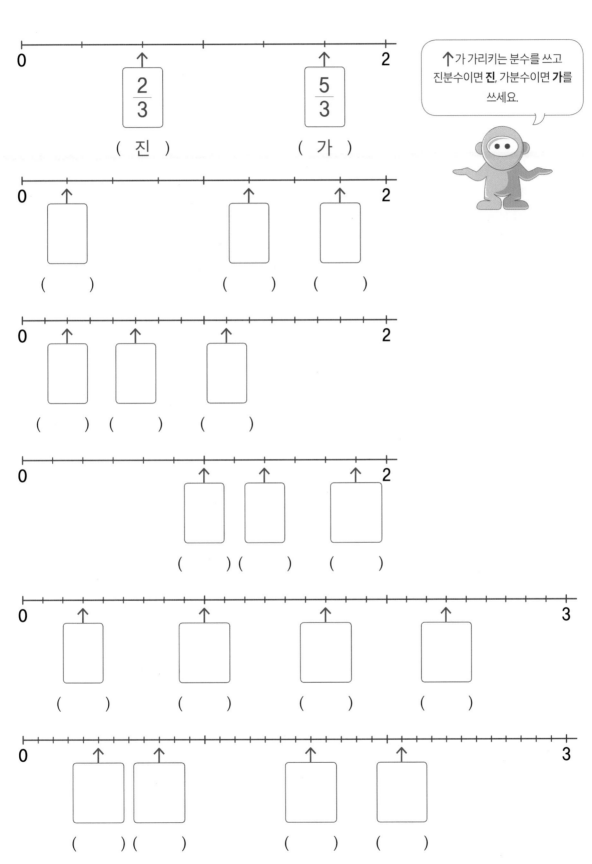

↑가 가리키는 분수를 쓰고 진분수이면 **진**, 가분수이면 **가**를 쓰세요.

$\frac{2}{3}$

(진)

$\frac{5}{3}$

(가)

( ) ( ) ( )

( ) ( ) ( )

( ) ( ) ( )

( ) ( ) ( ) ( )

( ) ( ) ( ) ( )

1 진분수를 모두 찾아 ◯표 하세요.

$$\frac{1}{2} \qquad \frac{3}{4} \qquad \frac{7}{6} \qquad \frac{3}{3} \qquad \frac{1}{5} \qquad \frac{3}{6} \qquad \frac{2}{3}$$

2 가분수를 모두 찾아 ◯표 하세요.

$$\frac{3}{10} \qquad \frac{7}{3} \qquad \frac{4}{5} \qquad \frac{11}{11} \qquad \frac{4}{3} \qquad \frac{5}{9} \qquad \frac{8}{7}$$

3 수 카드 3장 중에서 2장을 사용하여 진분수와 가분수를 각각 3개씩 만드세요.

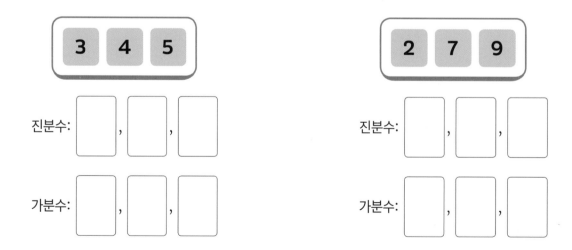

| 3 | 4 | 5 |

진분수: ⬜ , ⬜ , ⬜

가분수: ⬜ , ⬜ , ⬜

| 2 | 7 | 9 |

진분수: ⬜ , ⬜ , ⬜

가분수: ⬜ , ⬜ , ⬜

4 다음 중 잘못 설명한 사람은 누구일까요?

> 재호: $\frac{3}{4}$ 은 1 보다 작고, 진분수라고 해.
>
> 승철: $\frac{5}{4}$ 는 1 보다 크고, 가분수라고 해.
>
> 세희: $\frac{4}{4}$ 는 1과 같은 분수로 진분수도 아니고, 가분수도 아니야.

5 다음 분수를 모두 쓰세요.

분모가 5인 진분수

분모가 1 보다 크고 분자가 5인 가분수

_____

_____

6 딸기맛 우유 2잔을 만드는 데 필요한 재료는 다음과 같습니다.

> 딸기: $\frac{5}{3}$ 컵, 시럽: $\frac{4}{9}$ 컵, 설탕: $\frac{2}{5}$ 컵, 우유: $\frac{10}{7}$ 컵

필요한 양이 진분수인 재료는 무엇일까요?

필요한 양이 가분수인 재료는 무엇일까요?

대분수

대분수를 알아봅시다.

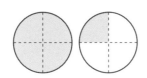

1과 $\frac{1}{4}$은 $1\frac{1}{4}$이라고 쓰고, 1과 4분의 1이라고 읽습니다.

$1\frac{1}{4}$과 같이 자연수와 진분수로 이루어진 분수를 대분수라고 합니다.

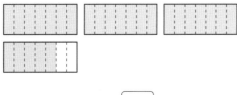

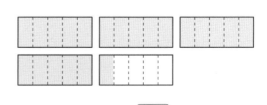

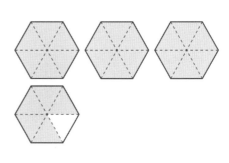

↓가 가리키는 분수를 ◻◻◻에서 찾아
수직선 위에는 진분수 또는 가분수를,
수직선 아래에는 대분수를 쓰세요.

$2\dfrac{3}{4}$ $\dfrac{9}{4}$ $1\dfrac{1}{4}$ $\dfrac{5}{4}$

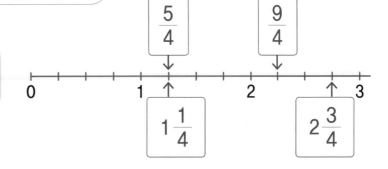

$1\dfrac{5}{6}$ $\dfrac{19}{6}$ $3\dfrac{1}{6}$ $\dfrac{8}{6}$

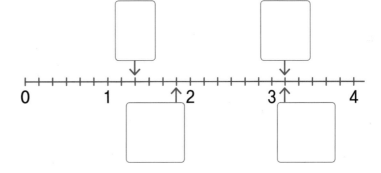

$2\dfrac{1}{5}$ $\dfrac{4}{5}$ $1\dfrac{4}{5}$ $\dfrac{11}{5}$

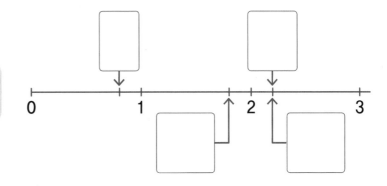

$5\dfrac{2}{3}$ $\dfrac{17}{3}$ $2\dfrac{1}{3}$ $\dfrac{11}{3}$

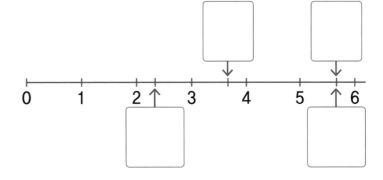

1 진분수는 ○표, 가분수는 △표, 대분수는 □표 하세요.

$$3\frac{1}{4} \qquad \frac{2}{5} \qquad \frac{8}{3} \qquad 1\frac{4}{7} \qquad \frac{3}{2} \qquad \frac{5}{6}$$

$$\frac{2}{3} \qquad 2\frac{2}{9} \qquad \frac{13}{5} \qquad \frac{3}{4} \qquad 1\frac{1}{6} \qquad \frac{5}{4}$$

2 수 카드를 한 번씩 사용하여 대분수 3개를 만드세요.

3 자연수가 3이고 분모가 4인 대분수를 모두 쓰세요.

4 다음 중 잘못 설명한 사람은 누구일까요? ☐

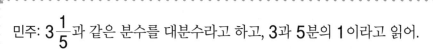

민주: $3\frac{1}{5}$과 같은 분수를 대분수라고 하고, 3과 5분의 1이라고 읽어.

소희: $2\frac{5}{4}$는 자연수 2와 가분수 $\frac{5}{4}$로 이루어진 대분수야.

세영: $1\frac{4}{5}$는 자연수 1과 진분수 $\frac{4}{5}$로 이루어진 대분수야.

5 다음은 패턴블록의 크기를 비교한 것입니다.

을 1이라고 할 때, 다음 모양을 대분수로 나타내세요.

을 1이라고 할 때, 다음 모양을 대분수로 나타내세요.

대분수를 가분수로 고치기

대분수를 가분수로 고쳐봅시다.

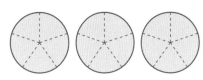

$3\frac{4}{5} = \boxed{\dfrac{19}{5}}$

$\dfrac{1}{5}$ 이 $\boxed{15}$ 개 $\dfrac{1}{5}$ 이 $\boxed{4}$ 개

3은 $\dfrac{1}{5}$ 이 15개이고, $\dfrac{4}{5}$ 는 $\dfrac{1}{5}$ 이 4개입니다.

$3\frac{4}{5}$ 는 $\dfrac{1}{5}$ 이 19개이므로 가분수로 나타내면 $\dfrac{19}{5}$ 입니다.

$\dfrac{1}{8}$ 이 $\boxed{}$ 개 $\dfrac{1}{8}$ 이 $\boxed{}$ 개

$1\frac{7}{8} = \boxed{}$

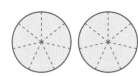

$\dfrac{1}{7}$ 이 $\boxed{}$ 개 $\dfrac{1}{7}$ 이 $\boxed{}$ 개

$2\frac{5}{7} = \boxed{}$

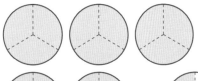

$\dfrac{1}{3}$ 이 $\boxed{}$ 개 $\dfrac{1}{3}$ 이 $\boxed{}$ 개

$5\frac{2}{3} = \boxed{}$

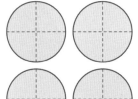

$\dfrac{1}{4}$ 이 $\boxed{}$ 개 $\dfrac{1}{4}$ 이 $\boxed{}$ 개

$4\frac{3}{4} = \boxed{}$

1은 $\dfrac{1}{7}$이 $\boxed{}$ 개

$\dfrac{3}{7}$ 은 $\dfrac{1}{7}$이 $\boxed{}$ 개

$1\dfrac{3}{7}$ 은 $\dfrac{1}{7}$이 $\boxed{}$ 개

$1\dfrac{3}{7} = \dfrac{\boxed{}}{\boxed{}}$

1은 $\dfrac{1}{5}$이 $\boxed{}$ 개

$\dfrac{4}{5}$ 는 $\dfrac{1}{5}$이 $\boxed{}$ 개

$1\dfrac{4}{5}$ 는 $\dfrac{1}{5}$이 $\boxed{}$ 개

$1\dfrac{4}{5} = \dfrac{\boxed{}}{\boxed{}}$

2는 $\dfrac{1}{8}$이 $\boxed{}$ 개

$\dfrac{3}{8}$ 은 $\dfrac{1}{8}$이 $\boxed{}$ 개

$2\dfrac{3}{8}$ 은 $\dfrac{1}{8}$이 $\boxed{}$ 개

$2\dfrac{3}{8} = \dfrac{\boxed{}}{\boxed{}}$

3은 $\dfrac{1}{6}$이 $\boxed{}$ 개

$\dfrac{2}{6}$ 는 $\dfrac{1}{6}$이 $\boxed{}$ 개

$3\dfrac{2}{6}$ 는 $\dfrac{1}{6}$이 $\boxed{}$ 개

$3\dfrac{2}{6} = \dfrac{\boxed{}}{\boxed{}}$

$2\dfrac{5}{6} = \dfrac{\boxed{}}{\boxed{}}$

$3\dfrac{3}{4} = \dfrac{\boxed{}}{\boxed{}}$

4는 $\dfrac{1}{4}$이 $\boxed{}$ 개

$\dfrac{1}{4}$ 은 $\dfrac{1}{4}$이 $\boxed{}$ 개

$4\dfrac{1}{4}$ 은 $\dfrac{1}{4}$이 $\boxed{}$ 개

$4\dfrac{1}{4} = \dfrac{\boxed{}}{\boxed{}}$

$4\dfrac{3}{5} = \dfrac{\boxed{}}{\boxed{}}$

$2\dfrac{5}{8} = \dfrac{\boxed{}}{\boxed{}}$

2는 $\dfrac{1}{3}$이 $\boxed{}$ 개

$\dfrac{2}{3}$ 는 $\dfrac{1}{3}$이 $\boxed{}$ 개

$2\dfrac{2}{3}$ 는 $\dfrac{1}{3}$이 $\boxed{}$ 개

$2\dfrac{2}{3} = \dfrac{\boxed{}}{\boxed{}}$

$1\dfrac{1}{9} = \dfrac{\boxed{}}{\boxed{}}$

$4\dfrac{2}{3} = \dfrac{\boxed{}}{\boxed{}}$

1 같은 것끼리 선으로 이으세요.

$2\frac{2}{5}$　　　$\frac{16}{6}$　　　　　　$2\frac{3}{4}$　　　$\frac{11}{4}$

$3\frac{1}{5}$　　　$\frac{16}{5}$　　　　　　$4\frac{2}{3}$　　　$\frac{13}{4}$

$2\frac{4}{6}$　　　$\frac{12}{5}$　　　　　　$3\frac{1}{4}$　　　$\frac{14}{3}$

2 수 카드를 한 번씩 사용하여 대분수를 3개 만들고 가분수로 나타내세요.

2　3　5

□$\frac{□}{□}$ = $\frac{□}{□}$　　　□$\frac{□}{□}$ = $\frac{□}{□}$　　　□$\frac{□}{□}$ = $\frac{□}{□}$

3　4　6

□$\frac{□}{□}$ = $\frac{□}{□}$　　　□$\frac{□}{□}$ = $\frac{□}{□}$　　　□$\frac{□}{□}$ = $\frac{□}{□}$

3 다음 그림을 보고 대분수와 가분수로 나타내세요.

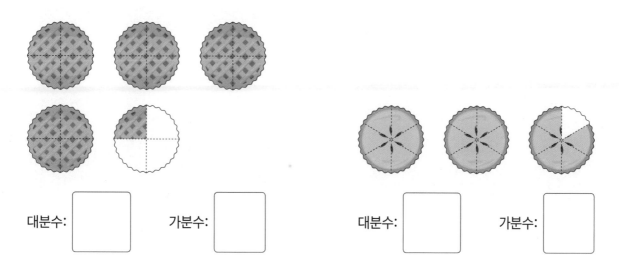

대분수: ☐   가분수: ☐   대분수: ☐   가분수: ☐

4 정호는 색종이 5장과 1장의 $\frac{1}{4}$ 을 사용하여 고리 팔지를 만들었습니다. 정호가 사용한 색종이의 양을 가분수로 나타내세요.

☐

5 먹고 남은 피자를 대분수로 나타내면 $2\frac{1}{6}$ 입니다. 똑같이 6조각으로 나누어진 피자는 몇 조각 남았을까요?

☐ 조각

가분수를 대분수로 고치기

가분수만큼 색칠하고 대분수로 고쳐 봅시다.

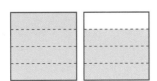

$$\frac{7}{4} = \boxed{1}\ \dfrac{\boxed{3}}{\boxed{4}}$$

$\dfrac{7}{4}$은 $\dfrac{1}{4}$이 7개입니다.

$\dfrac{1}{4}$을 7개 색칠하면 1과 $\dfrac{3}{4}$입니다.

$$\frac{8}{3} = \boxed{2}\ \dfrac{\boxed{2}}{\boxed{3}}$$

$\dfrac{8}{3}$은 $\dfrac{1}{3}$이 8개입니다.

$\dfrac{1}{3}$을 8개 색칠하면 2와 $\dfrac{2}{3}$입니다.

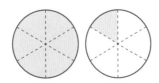

$$\frac{7}{6} = \boxed{}\ \dfrac{\boxed{}}{\boxed{}}$$

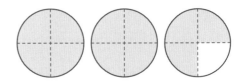

$$\frac{11}{4} = \boxed{}\ \dfrac{\boxed{}}{\boxed{}}$$

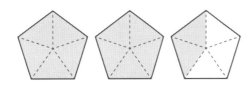

$$\frac{12}{5} = \boxed{}\ \dfrac{\boxed{}}{\boxed{}}$$

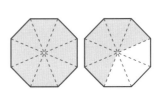

$$\frac{13}{8} = \boxed{}\ \dfrac{\boxed{}}{\boxed{}}$$

$\dfrac{14}{5} = \boxed{2}\,\dfrac{\boxed{4}}{\boxed{5}}$

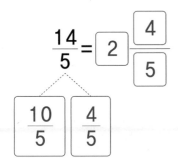

$\dfrac{10}{5}$ $\dfrac{4}{5}$

$\dfrac{8}{3} = \boxed{}\,\dfrac{\boxed{}}{\boxed{}}$

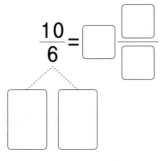

$\dfrac{10}{6} = \boxed{}\,\dfrac{\boxed{}}{\boxed{}}$

$\dfrac{23}{4} = \boxed{}\,\dfrac{\boxed{}}{\boxed{}}$

$\dfrac{18}{7} = \boxed{}\,\dfrac{\boxed{}}{\boxed{}}$

$\dfrac{7}{2} = \boxed{}\,\dfrac{\boxed{}}{\boxed{}}$

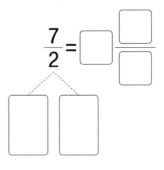

$\dfrac{17}{8} = \boxed{}\,\dfrac{\boxed{}}{\boxed{}}$

$\dfrac{31}{9} = \boxed{}\,\dfrac{\boxed{}}{\boxed{}}$

$\dfrac{11}{4} = \boxed{}\,\dfrac{\boxed{}}{\boxed{}}$

$\dfrac{9}{4} = \boxed{}\,\dfrac{\boxed{}}{\boxed{}}$

$\dfrac{7}{5} = \boxed{}\,\dfrac{\boxed{}}{\boxed{}}$

$\dfrac{9}{2} = \boxed{}\,\dfrac{\boxed{}}{\boxed{}}$

$\dfrac{25}{6} = \boxed{}\,\dfrac{\boxed{}}{\boxed{}}$

$\dfrac{17}{7} = \boxed{}\,\dfrac{\boxed{}}{\boxed{}}$

$\dfrac{14}{3} = \boxed{}\,\dfrac{\boxed{}}{\boxed{}}$

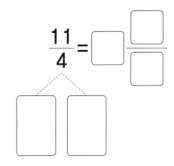

1 같은 것끼리 선으로 이으세요.

$\dfrac{17}{8}$　　$3\dfrac{3}{7}$　　$\dfrac{16}{6}$　　$2\dfrac{2}{5}$

$\dfrac{17}{7}$　　$2\dfrac{3}{7}$　　$\dfrac{16}{5}$　　$3\dfrac{1}{5}$

$\dfrac{24}{7}$　　$2\dfrac{1}{8}$　　$\dfrac{12}{5}$　　$2\dfrac{4}{6}$

2 수 카드 3장 중에서 2장을 사용하여 만들 수 있는 가분수를 모두 쓰고, 대분수로 나타내세요.

| 3 | 4 | 7 |

$\dfrac{\square}{\square} = \square\dfrac{\square}{\square}$　　　$\dfrac{\square}{\square} = \square\dfrac{\square}{\square}$　　　$\dfrac{\square}{\square} = \square\dfrac{\square}{\square}$

| 2 | 7 | 9 |

$\dfrac{\square}{\square} = \square\dfrac{\square}{\square}$　　　$\dfrac{\square}{\square} = \square\dfrac{\square}{\square}$　　　$\dfrac{\square}{\square} = \square\dfrac{\square}{\square}$

3 소정이네 모둠 학생들 중 가분수 $\frac{13}{4}$ 을 대분수로 바르게 고친 사람은 누구일까요?

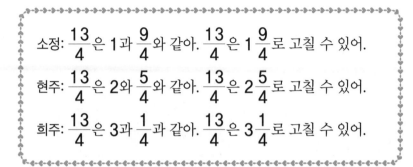

소정: $\frac{13}{4}$ 은 1과 $\frac{9}{4}$ 와 같아. $\frac{13}{4}$ 은 1 $\frac{9}{4}$ 로 고칠 수 있어.

현주: $\frac{13}{4}$ 은 2와 $\frac{5}{4}$ 와 같아. $\frac{13}{4}$ 은 2 $\frac{5}{4}$ 로 고칠 수 있어.

희주: $\frac{13}{4}$ 은 3과 $\frac{1}{4}$ 과 같아. $\frac{13}{4}$ 은 3 $\frac{1}{4}$ 로 고칠 수 있어.

4 주스를 만드는 데 토마토 $\frac{7}{5}$ 개, 오렌지 4 $\frac{5}{6}$ 개, 물 $\frac{4}{5}$ 컵이 필요하다고 합니다. 가분수를 찾아 대분수로 나타내세요.

5 연우네 모둠은 6조각으로 나누어진 똑같은 크기의 피자 3개 중에서 11조각을 먹었습니다.

연우네 모둠이 먹은 피자의 양을 가분수와 대분수로 나타내세요.

$$\frac{\boxed{}}{6} = \boxed{} \frac{\boxed{}}{\boxed{}} \text{개}$$

남은 피자의 양을 가분수와 대분수로 나타내세요.

$$\frac{\boxed{}}{6} = \boxed{} \frac{\boxed{}}{\boxed{}} \text{개}$$

형성평가

1 ↑가 가리키는 분수를 쓰고 진분수이면 진, 가분수이면 가를 쓰세요.

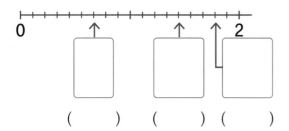

( ) ( ) ( )

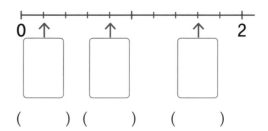

( ) ( ) ( )

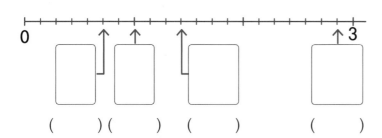

( ) ( ) ( ) ( )

2 수 카드 3장 중에서 2장을 사용하여 진분수와 가분수를 각각 3개씩 만드세요.

진분수: ⬜ , ⬜ , ⬜

가분수: ⬜ , ⬜ , ⬜

진분수: ⬜ , ⬜ , ⬜

가분수: ⬜ , ⬜ , ⬜

3 진분수는 ○표, 가분수는 △표, 대분수는 □표 하세요.

$$\frac{7}{2} \qquad 4\frac{3}{6} \qquad \frac{2}{5} \qquad \frac{9}{4} \qquad 2\frac{5}{8} \qquad \frac{1}{7}$$

$$\frac{5}{9} \qquad \frac{8}{3} \qquad 1\frac{5}{11} \qquad 3\frac{4}{7} \qquad \frac{13}{2} \qquad \frac{3}{8}$$

4 자연수가 7이고 분모가 5인 대분수를 모두 쓰세요.

_____

5 □ 안에 알맞은 수를 쓰세요.

2는 $\frac{1}{7}$이 □ 개

$\frac{5}{7}$는 $\frac{1}{7}$이 □ 개

$2\frac{5}{7}$는 $\frac{1}{7}$이 □ 개

$2\frac{5}{7} = \dfrac{\boxed{}}{\boxed{}}$

3은 $\frac{1}{8}$이 □ 개

$\frac{3}{8}$은 $\frac{1}{8}$이 □ 개

$3\frac{3}{8}$은 $\frac{1}{8}$이 □ 개

$3\frac{3}{8} = \dfrac{\boxed{}}{\boxed{}}$

4는 $\frac{1}{6}$이 □ 개

$\frac{5}{6}$는 $\frac{1}{6}$이 □ 개

$4\frac{5}{6}$는 $\frac{1}{6}$이 □ 개

$4\frac{5}{6} = \dfrac{\boxed{}}{\boxed{}}$

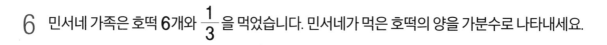

6 민서네 가족은 호떡 6개와 $\dfrac{1}{3}$을 먹었습니다. 민서네가 먹은 호떡의 양을 가분수로 나타내세요.

 개

7 □ 안에 알맞은 수를 쓰세요.

$\dfrac{7}{2} = \boxed{}\dfrac{\boxed{}}{\boxed{}}$

$\dfrac{20}{3} = \boxed{}\dfrac{\boxed{}}{\boxed{}}$

$\dfrac{19}{7} = \boxed{}\dfrac{\boxed{}}{\boxed{}}$

$\dfrac{23}{5} = \boxed{}\dfrac{\boxed{}}{\boxed{}}$

$\dfrac{31}{6} = \boxed{}\dfrac{\boxed{}}{\boxed{}}$

$\dfrac{29}{8} = \boxed{}\dfrac{\boxed{}}{\boxed{}}$

8 가연이는 4조각으로 나누어진 똑같은 크기의 색종이 6장 중에서 17조각을 사용했습니다.

가연이가 사용한 색종이를 가분수와 대분수로 나타내세요.

$\dfrac{\boxed{}}{4} = \boxed{}\dfrac{\boxed{}}{\boxed{}}$ 장

남은 색종이를 가분수와 대분수로 나타내세요.

$\dfrac{\boxed{}}{4} = \boxed{}\dfrac{\boxed{}}{\boxed{}}$ 장

3주차

분수의 크기 비교 (2)

여러 가지 분수의 크기 비교

진분수, 가분수의 크기 비교

개념
원리

분수에 맞게 색칠하고 크기를 비교하여 봅시다.

$\dfrac{4}{5}$ $\dfrac{4}{5}$ ⟨<⟩ $\dfrac{7}{5}$

$\dfrac{7}{5}$

$\dfrac{7}{4}$ $\dfrac{7}{5}$ ⟨<⟩ $\dfrac{7}{4}$

분모가 같을 때 분자가 클수록 더 큰 분수입니다. 분자가 같을 때 분모가 작을수록 더 큰 분수입니다.

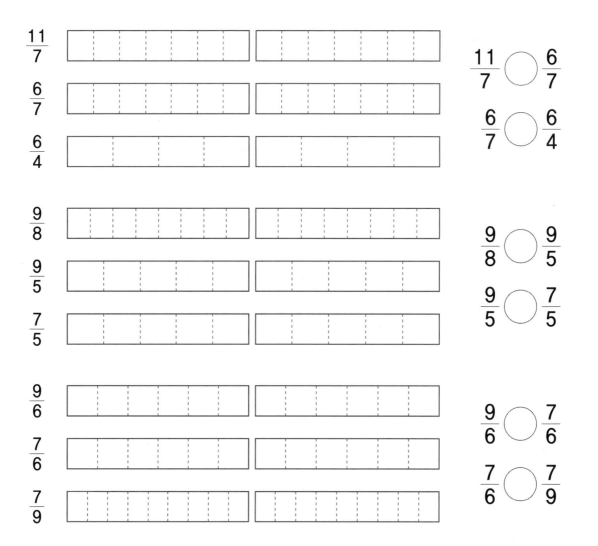

$\dfrac{11}{7}$

$\dfrac{6}{7}$

$\dfrac{6}{4}$

$\dfrac{11}{7}$ ◯ $\dfrac{6}{7}$

$\dfrac{6}{7}$ ◯ $\dfrac{6}{4}$

$\dfrac{9}{8}$

$\dfrac{9}{5}$

$\dfrac{7}{5}$

$\dfrac{9}{8}$ ◯ $\dfrac{9}{5}$

$\dfrac{9}{5}$ ◯ $\dfrac{7}{5}$

$\dfrac{9}{6}$

$\dfrac{7}{6}$

$\dfrac{7}{9}$

$\dfrac{9}{6}$ ◯ $\dfrac{7}{6}$

$\dfrac{7}{6}$ ◯ $\dfrac{7}{9}$

$\dfrac{5}{9}$ ◯ $\dfrac{10}{9}$　　　$\dfrac{5}{3}$ ◯ $\dfrac{5}{4}$　　　$\dfrac{11}{7}$ ◯ $\dfrac{9}{7}$

$\dfrac{8}{7}$ ◯ $\dfrac{8}{6}$　　　$\dfrac{6}{5}$ ◯ $\dfrac{11}{5}$　　　$\dfrac{11}{8}$ ◯ $\dfrac{11}{4}$

$\dfrac{13}{12}$ ◯ $\dfrac{12}{12}$　　　$\dfrac{8}{5}$ ◯ $\dfrac{8}{9}$　　　$\dfrac{7}{14}$ ◯ $\dfrac{9}{14}$

$\dfrac{5}{3}$ ◯ $\dfrac{5}{5}$ ◯ $\dfrac{5}{7}$　　　$\dfrac{5}{9}$ ◯ $\dfrac{7}{9}$ ◯ $\dfrac{14}{9}$

$\dfrac{11}{12}$ ◯ $\dfrac{11}{8}$ ◯ $\dfrac{13}{8}$　　　$\dfrac{17}{6}$ ◯ $\dfrac{13}{6}$ ◯ $\dfrac{13}{7}$

$\dfrac{5}{8}$ ◯ $\dfrac{9}{8}$ ◯ $\dfrac{9}{6}$　　　$\dfrac{10}{9}$ ◯ $\dfrac{10}{7}$ ◯ $\dfrac{11}{7}$

1 두 분수의 크기를 비교하여 더 큰 분수를 ☐ 안에 쓰세요.

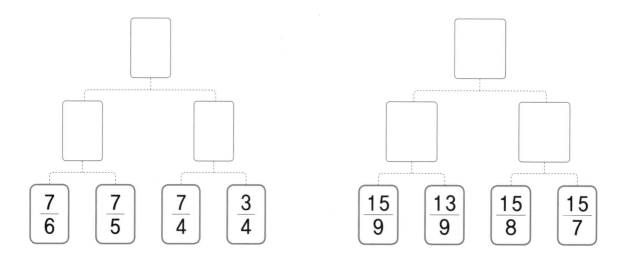

2 ☐ 안에 들어갈 수 있는 수를 모두 찾아 ◯표 하세요.

$\dfrac{\square}{4} < \dfrac{7}{4}$

$\boxed{5 \quad 6 \quad 7 \quad 8 \quad 9}$

$\dfrac{11}{\square} > \dfrac{11}{8}$

$\boxed{6 \quad 7 \quad 8 \quad 9 \quad 10}$

$\dfrac{6}{5} < \dfrac{\square}{5}$

$\boxed{4 \quad 5 \quad 6 \quad 7 \quad 8}$

$\dfrac{7}{6} < \dfrac{\square}{6} < \dfrac{9}{6}$

$\boxed{6 \quad 7 \quad 8 \quad 9 \quad 10}$

$\dfrac{11}{8} < \dfrac{11}{\square} < \dfrac{11}{5}$

$\boxed{5 \quad 6 \quad 7 \quad 8 \quad 9}$

3 다음 분수를 큰 것부터 차례대로 쓰세요.

$\dfrac{8}{5}$ $\dfrac{7}{6}$ $\dfrac{11}{5}$ $\dfrac{11}{4}$ $\dfrac{7}{5}$

$\dfrac{10}{7}$ $\dfrac{9}{8}$ $\dfrac{10}{8}$ $\dfrac{11}{6}$ $\dfrac{10}{6}$

_____   _____

4 수 카드 5장 중에서 2장을 사용하여 다음 분수를 만드세요.

	가장 작은 진분수	가장 큰 진분수	가장 작은 가분수	가장 큰 가분수
3 7 8 5 6				

5 종이접기를 하는 데 색종이를 천우는 $\dfrac{9}{4}$ 장, 슬기는 $\dfrac{9}{6}$ 장, 지혜는 $\dfrac{11}{4}$ 장 사용하였습니다.

색종이를 가장 많이 사용한 사람은 누구일까요?

색종이를 가장 적게 사용한 사람은 누구일까요?

대분수의 크기 비교

대분수의 크기를 비교하여 봅시다.

$2\dfrac{3}{7}$ 0 ——— 1 ——— 2 ——— 3

$1\dfrac{5}{7}$ 0 ——— 1 ——— 2 ——— 3

$1\dfrac{2}{7}$ 0 ——— 1 ——— 2 ——— 3

$2\dfrac{3}{7}$ $>$ $1\dfrac{5}{7}$ $>$ $1\dfrac{2}{7}$

대분수의 크기를 비교할 때에는 자연수 부분을 먼저 비교합니다.

$2\dfrac{3}{7} > 1\dfrac{5}{7}$

자연수가 같을 때에는 진분수 부분의 크기를 비교합니다.

$1\dfrac{5}{7} > 1\dfrac{2}{7}$

$2\dfrac{2}{3}$ 0 — 1 — 2 — 3 — 4 — 5

$3\dfrac{1}{3}$ 0 — 1 — 2 — 3 — 4 — 5

$4\dfrac{1}{2}$ 0 — 1 — 2 — 3 — 4 — 5

$2\dfrac{2}{3}$ ◯ $3\dfrac{1}{3}$ ◯ $4\dfrac{1}{2}$

$2\dfrac{1}{2}$ 0 — 1 — 2 — 3

$2\dfrac{1}{3}$ 0 — 1 — 2 — 3

$2\dfrac{1}{5}$ 0 — 1 — 2 — 3

$2\dfrac{1}{2}$ ◯ $2\dfrac{1}{3}$ ◯ $2\dfrac{1}{5}$

$1\dfrac{2}{7} \bigcirc 3\dfrac{2}{7}$
  $3\dfrac{1}{5} \bigcirc 2\dfrac{4}{5}$
  $2\dfrac{2}{9} \bigcirc 1\dfrac{4}{7}$

$1\dfrac{1}{6} \bigcirc 1\dfrac{5}{6}$
  $3\dfrac{3}{8} \bigcirc 3\dfrac{5}{8}$
  $7\dfrac{4}{5} \bigcirc 7\dfrac{3}{5}$

$2\dfrac{5}{11} \bigcirc 2\dfrac{5}{8}$
  $6\dfrac{3}{10} \bigcirc 6\dfrac{3}{11}$
  $5\dfrac{4}{7} \bigcirc 5\dfrac{4}{5}$

$1\dfrac{1}{2} \bigcirc 1\dfrac{2}{3}$
  $5\dfrac{4}{9} \bigcirc 5\dfrac{1}{2}$
  $4\dfrac{5}{11} \bigcirc 4\dfrac{1}{2}$

$2\dfrac{3}{7} \bigcirc 3\dfrac{2}{9} \bigcirc 3\dfrac{4}{9}$
  $5\dfrac{1}{6} \bigcirc 3\dfrac{3}{8} \bigcirc 3\dfrac{3}{9}$

$3\dfrac{1}{5} \bigcirc 3\dfrac{1}{6} \bigcirc 2\dfrac{1}{4}$
  $4\dfrac{1}{5} \bigcirc 4\dfrac{2}{5} \bigcirc 4\dfrac{1}{2}$

1 수 카드를 한 번씩 사용하여 만들 수 있는 대분수를 모두 쓰고, 그중 가장 큰 분수에 ◯표, 가장 작은 분수에 △표 하세요.

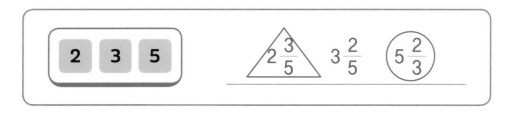

| 3 | 4 | 7 | | | 2 | 9 | 7 |

_____   _____

2 ☐ 안에 들어갈 수 있는 수를 모두 찾아 ◯표 하세요.

$3\dfrac{\square}{8} < 3\dfrac{7}{8}$

$5\dfrac{4}{\square} > 5\dfrac{4}{9}$

7   8   9   10   11

$4\dfrac{1}{6} < \square\dfrac{5}{6}$

1   2   3   4   5

$2\dfrac{2}{7} < \square\dfrac{4}{7} < 6\dfrac{4}{5}$

2   3   4   5   6

$5\dfrac{3}{7} < \square\dfrac{3}{11} < 9\dfrac{8}{11}$

5   6   7   8   9

3 다음 분수를 큰 것부터 차례대로 쓰세요.

$$3\frac{5}{8} \quad 2\frac{1}{8} \quad 3\frac{3}{8} \quad 2\frac{1}{9} \quad 3\frac{5}{7}$$

_____

4 수 카드 4장 중에서 3장을 사용하여 가장 큰 대분수와 가장 작은 대분수를 만드세요.

| 2 | 7 | 8 | 6 |

가장 큰 대분수: 가장 작은 대분수:

| 3 | 5 | 9 | 1 |

가장 큰 대분수: 가장 작은 대분수:

5 친구들이 키를 재어 보았더니 형수는 $1\frac{1}{8}$ m, 재호는 $1\frac{2}{8}$ m, 주희는 $1\frac{1}{9}$ m였습니다. 키가 가장 큰 사람과 키가 가장 작은 사람은 누구일까요?

가장 큰 사람: [   ] , 가장 작은 사람: [   ]

개념
원리

대분수와 가분수의 크기를 비교하여 봅시다.

$$\frac{11}{5} \;\boxed{<}\; 2\frac{3}{5} = \frac{\boxed{13}}{\boxed{5}}$$

대분수를 가분수로 고친 다음 크기를 비교합니다.

$$6\frac{2}{3} \;\boxed{>}\; \frac{19}{3} = \boxed{6}\,\frac{\boxed{1}}{\boxed{3}}$$

가분수를 대분수로 고친 다음 크기를 비교합니다.

$$\frac{10}{4} \;\bigcirc\; 2\frac{3}{4} = \frac{\boxed{}}{\boxed{}}$$

$$5\frac{1}{2} \;\bigcirc\; \frac{9}{2} = \boxed{}\,\frac{\boxed{}}{\boxed{}}$$

$$\frac{20}{9} \;\bigcirc\; 2\frac{5}{9} = \frac{\boxed{}}{\boxed{}}$$

$$3\frac{1}{4} \;\bigcirc\; \frac{15}{4} = \boxed{}\,\frac{\boxed{}}{\boxed{}}$$

$$\frac{17}{6} \;\bigcirc\; 2\frac{3}{6} = \frac{\boxed{}}{\boxed{}}$$

$$2\frac{5}{7} \;\bigcirc\; \frac{18}{7} = \boxed{}\,\frac{\boxed{}}{\boxed{}}$$

$$\frac{14}{3} \;\bigcirc\; 4\frac{1}{3} = \frac{\boxed{}}{\boxed{}}$$

$$4\frac{3}{8} \;\bigcirc\; \frac{37}{8} = \boxed{}\,\frac{\boxed{}}{\boxed{}}$$

$\frac{11}{6}$ ◯ $1\frac{5}{6}$ ◯ $\frac{13}{6}$ $\frac{15}{4}$ ◯ $3\frac{1}{4}$ ◯ $\frac{10}{4}$

$3\frac{2}{7}$ ◯ $\frac{22}{7}$ ◯ $2\frac{6}{7}$ $6\frac{1}{3}$ ◯ $\frac{17}{3}$ ◯ $5\frac{1}{3}$

$\frac{15}{8}$ ◯ $1\frac{5}{8}$ ◯ $\frac{11}{8}$ $\frac{21}{9}$ ◯ $2\frac{3}{9}$ ◯ $\frac{19}{8}$

$\frac{21}{5}$ ◯ $4\frac{1}{6}$ ◯ $\frac{29}{7}$ $\frac{22}{7}$ ◯ $3\frac{1}{7}$ ◯ $\frac{19}{6}$

$4\frac{1}{5}$ ◯ $\frac{18}{5}$ ◯ $3\frac{2}{5}$ $2\frac{1}{9}$ ◯ $\frac{19}{8}$ ◯ $2\frac{5}{7}$

$\frac{11}{2}$ ◯ $6\frac{1}{2}$ ◯ $\frac{15}{2}$ $\frac{13}{4}$ ◯ $3\frac{3}{4}$ ◯ $\frac{19}{5}$

1 ⬭안의 분수를 수직선에 ↓로 나타내고 작은 순서대로 분수를 쓰세요.

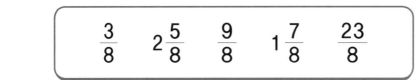

$$\frac{3}{8} \qquad 2\frac{5}{8} \qquad \frac{9}{8} \qquad 1\frac{7}{8} \qquad \frac{23}{8}$$

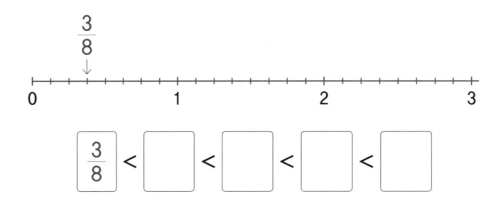

$$\boxed{\frac{3}{8}} < \boxed{} < \boxed{} < \boxed{} < \boxed{}$$

2 ☐안에 들어갈 수 있는 수를 모두 쓰세요.

$$1\frac{1}{9} < 1\frac{\boxed{}}{9} < 1\frac{8}{9}$$

_____

$$\frac{4}{3} < \boxed{}\frac{2}{3} < \frac{19}{3}$$

_____

$$1\frac{2}{7} < \frac{\boxed{}}{7} < 2\frac{1}{7}$$

_____

3 분수의 크기에 대해 잘못 설명한 사람은 누구일까요?

가분수는 진분수보다 항상 커.

슬기

대분수는 진분수보다 항상 커.

승희

대분수는 가분수보다 항상 커.

정호

4 수 카드 5장 중에서 2장을 사용하여 가장 큰 가분수를 만들고 나머지 3장으로 가장 작은 대분수를 만든 다음 두 분수의 크기를 비교하세요.

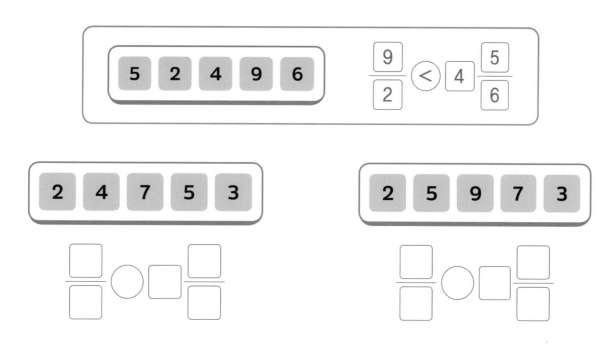

5 지영이는 동화책을 $1\frac{1}{6}$ 시간, 희영이는 $\frac{6}{5}$ 시간, 소희는 $1\frac{1}{8}$ 시간 읽었습니다. 동화책을 읽은 시간이 가장 짧은 사람은 누구일까요?

조건과 분수

개념
원리

수 카드를 사용하여 조건에 맞는 분수를 만들어 봅시다.

분모가 3인 가분수

| 2 | 3 | 7 | 8 |

$\dfrac{7}{3}$, $\dfrac{8}{3}$

자연수 부분이 3인 대분수

| 2 | 8 | 3 | 5 |

$3\dfrac{2}{5}$, $3\dfrac{2}{8}$, $3\dfrac{5}{8}$

분자가 7인 가분수

| 7 | 8 | 6 | 3 |

분모가 5인 대분수

| 5 | 3 | 7 | 4 |

분모가 6인 진분수

| 6 | 9 | 3 | 5 |

분자가 1인 대분수

| 1 | 4 | 3 | 5 |

분모와 분자의 합이 7인 가분수

| 2 | 4 | 5 | 3 |

자연수 부분이 4인 대분수

| 4 | 9 | 8 | 5 |

분모와 분자의 합이 9입니다. 진분수입니다.	$\frac{2}{6}$	$\frac{2}{7}$	$\frac{3}{6}$	$\frac{4}{5}$	$\frac{5}{4}$	$\frac{6}{3}$	$\frac{7}{2}$
분모와 분자의 차가 3입니다. 가분수입니다.	$\frac{1}{4}$	$\frac{2}{5}$	$\frac{3}{6}$	$\frac{4}{7}$	$\frac{5}{2}$	$\frac{6}{3}$	$\frac{7}{4}$
대분수입니다. 자연수 부분이 3입니다.	$3\frac{2}{8}$	$\frac{10}{3}$	$2\frac{3}{4}$	$3\frac{1}{9}$	$1\frac{3}{7}$	$\frac{3}{5}$	$3\frac{5}{9}$
2보다 크고 3보다 작습니다. 가분수입니다.	$\frac{5}{2}$	$\frac{10}{3}$	$2\frac{5}{6}$	$\frac{4}{9}$	$2\frac{2}{3}$	$\frac{9}{4}$	$\frac{19}{8}$
분자가 7입니다. 가분수입니다.	$\frac{4}{7}$	$\frac{7}{5}$	$\frac{7}{6}$	$\frac{7}{7}$	$\frac{7}{8}$	$\frac{7}{9}$	$\frac{7}{10}$
대분수입니다. 5보다 크고 6보다 작습니다.	$5\frac{4}{8}$	$\frac{11}{2}$	$5\frac{9}{13}$	$4\frac{5}{6}$	$5\frac{4}{4}$	$\frac{27}{5}$	$5\frac{5}{11}$

1 주어진 분수를 가로, 세로 조건에 맞게 하나씩 쓰세요.

분수 조건	진분수	가분수
분모와 분자의 합이 10		
분모와 분자의 차가 5		

$\dfrac{6}{4}$ $\dfrac{3}{8}$ $\dfrac{7}{2}$ $\dfrac{3}{7}$

분수 조건	가분수	대분수
2보다 큼		
2보다 작음		

$2\dfrac{1}{3}$ $\dfrac{4}{3}$ $1\dfrac{2}{3}$ $\dfrac{8}{3}$

2 조건에 맞는 분수를 구하세요.

- 가분수입니다.
- 분모와 분자의 합이 14입니다.
- 분모와 분자의 차가 4입니다.

- 진분수입니다.
- 분모는 8보다 작습니다.
- 분자는 5보다 큽니다.

- 대분수입니다.
- 3보다 크고 4보다 작습니다.
- 분모가 3보다 작습니다.

- 가분수입니다.
- 3보다 크고 4보다 작습니다.
- 분모와 분자의 차가 7입니다.

3 조건에 맞는 분수를 모두 쓰세요.

> • 진분수입니다.
> • 분모는 **9**입니다.
> • $\frac{1}{2}$ 보다 큽니다.

> • 가분수입니다.
> • 분모와 분자의 합이 **10**입니다.
> • 분모는 **1**보다 큽니다.

> • 대분수입니다.
> • **2**보다 크고 **4**보다 작습니다.
> • 분모와 분자의 합이 **4**입니다.

> • 대분수입니다.
> • 자연수 부분이 **5**입니다.
> • 분모가 **5**보다 작습니다.

---

4 수 카드 **5**장으로 분수를 만들려고 합니다.

2장을 사용하여 분모와 분자의 차가 **2**인 가분수를 모두 만드세요.

3장을 사용하여 분모와 분자의 합이 **13**이고 **4**보다 작은 대분수를 모두 만드세요.

1 두 분수의 크기를 비교하여 더 큰 분수를 ☐ 안에 쓰세요.

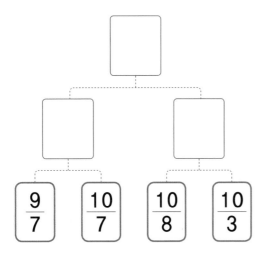 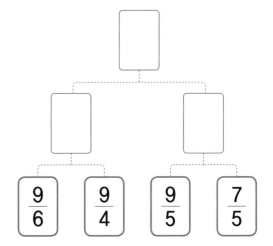

2 다음 분수를 큰 것부터 차례대로 적으세요.

$$\frac{13}{4} \quad \frac{9}{7} \quad \frac{9}{4} \quad \frac{8}{7} \quad \frac{13}{3}$$

$$\frac{15}{9} \quad \frac{20}{9} \quad \frac{22}{7} \quad \frac{20}{7} \quad \frac{15}{11}$$

_____   _____

3 분수의 크기를 비교하여 ◯ 안에 >, <를 쓰세요.

$6\frac{3}{5} \bigcirc 6\frac{1}{2}$ 　 $3\frac{5}{8} \bigcirc 3\frac{5}{6}$ 　 $5\frac{1}{2} \bigcirc 5\frac{7}{13}$

$4\frac{5}{7} \bigcirc 4\frac{5}{6} \bigcirc 5\frac{2}{6}$ 　 $8\frac{2}{4} \bigcirc 8\frac{2}{5} \bigcirc 7\frac{4}{5}$

4 수 카드 4장 중에서 3장을 사용하여 가장 큰 대분수와 가장 작은 대분수를 각각 만드세요.

| 5 | 2 | 8 | 7 |

가장 큰 대분수: ☐ $\dfrac{☐}{☐}$ 가장 작은 대분수: ☐ $\dfrac{☐}{☐}$

| 4 | 7 | 3 | 6 |

가장 큰 대분수: ☐ $\dfrac{☐}{☐}$ 가장 작은 대분수: ☐ $\dfrac{☐}{☐}$

5 대분수와 가분수의 크기를 비교하여 보세요.

$\dfrac{23}{6}$ ◯ $3\dfrac{2}{7}$ = $\dfrac{☐}{☐}$

$4\dfrac{3}{8}$ ◯ $\dfrac{37}{8}$ = ☐$\dfrac{☐}{☐}$

$\dfrac{22}{4}$ ◯ $5\dfrac{3}{4}$ = $\dfrac{☐}{☐}$

$2\dfrac{9}{11}$ ◯ $\dfrac{30}{11}$ = ☐$\dfrac{☐}{☐}$

6 조건에 맞는 분수를 구하세요.

- 가분수입니다.
- 3보다 크고 4보다 작습니다.
- 분모와 분자의 차가 9입니다.

☐

7 □ 안에 들어갈 수 있는 수를 모두 쓰세요.

$$2\frac{2}{7} < \frac{\square}{7} < 2\frac{6}{7}$$

_____

$$\frac{7}{4} < \square\frac{1}{4} < \frac{25}{4}$$

_____

$$3\frac{5}{9} < \frac{\square}{9} < 4\frac{2}{9}$$

_____

8 과자를 예은이는 $2\frac{3}{7}$ 봉지, 호진이는 $\frac{15}{6}$ 봉지, 규원이는 $2\frac{5}{6}$ 봉지 먹었습니다. 과자를 가장 많이 먹은 사람은 누구일까요?

4주차

분수의 덧셈과 뺄셈

분모가 같은 분수의 계산

1일

285

분수의 덧셈

분모가 같은 분수의 덧셈을 알아봅시다.

$$\frac{2}{8} + \frac{5}{8} = \frac{\boxed{2} + \boxed{5}}{8} = \frac{\boxed{7}}{8}$$

$\dfrac{2}{8}$ 　　$\dfrac{5}{8}$ 　　$\dfrac{\boxed{7}}{8}$

$\dfrac{2}{8}$는 $\dfrac{1}{8}$이 2개, $\dfrac{5}{8}$는 $\dfrac{1}{8}$이 5개입니다. $\dfrac{2}{8} + \dfrac{5}{8}$는 $\dfrac{1}{8}$이 7개이므로 $\dfrac{7}{8}$입니다.

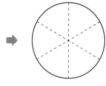

$\dfrac{2}{6}$ 　　$\dfrac{3}{6}$ ➡ $\dfrac{\boxed{}}{6}$

$$\frac{2}{6} + \frac{3}{6} = \frac{\boxed{} + \boxed{}}{6} = \frac{\boxed{}}{6}$$

$\dfrac{5}{10}$ 　　$\dfrac{2}{10}$ ➡ $\dfrac{\boxed{}}{10}$

$$\frac{5}{10} + \frac{2}{10} = \frac{\boxed{} + \boxed{}}{10} = \frac{\boxed{}}{10}$$

$\dfrac{3}{9}$ 　　$\dfrac{4}{9}$ ➡ $\dfrac{\boxed{}}{9}$

$$\frac{3}{9} + \frac{4}{9} = \frac{\boxed{} + \boxed{}}{9} = \frac{\boxed{}}{9}$$

$\dfrac{5}{7} + \dfrac{3}{7} = \dfrac{\boxed{}+\boxed{}}{7} = \dfrac{\boxed{}}{\boxed{}}$

$\dfrac{4}{7} + \dfrac{6}{7} = \dfrac{\boxed{}+\boxed{}}{7} = \dfrac{\boxed{}}{\boxed{}}$

$\dfrac{2}{5} + \dfrac{3}{5} = \dfrac{\boxed{}+\boxed{}}{5} = \dfrac{\boxed{}}{\boxed{}}$

$\dfrac{3}{9} + \dfrac{2}{9} = \dfrac{\boxed{}+\boxed{}}{9} = \dfrac{\boxed{}}{\boxed{}}$

$\dfrac{7}{8} + \dfrac{6}{8} = \dfrac{\boxed{}+\boxed{}}{8} = \dfrac{\boxed{}}{\boxed{}}$

$\dfrac{7}{6} + \dfrac{8}{6} = \dfrac{\boxed{}+\boxed{}}{6} = \dfrac{\boxed{}}{\boxed{}}$

$\dfrac{1}{5} + \dfrac{3}{5}$

$\dfrac{2}{3} + \dfrac{2}{3}$

$\dfrac{3}{4} + \dfrac{6}{4}$

$\dfrac{6}{7} + \dfrac{8}{7}$

$\dfrac{8}{5} + \dfrac{3}{5}$

$\dfrac{5}{6} + \dfrac{8}{6}$

$\dfrac{2}{10} + \dfrac{7}{10}$

$\dfrac{8}{12} + \dfrac{9}{12}$

$\dfrac{14}{15} + \dfrac{17}{15}$

1 분수의 덧셈을 하여 빈칸에 알맞은 수를 쓰세요.

+	$\dfrac{1}{9}$	$\dfrac{4}{9}$
$\dfrac{3}{9}$		
$\dfrac{4}{9}$		

+	$\dfrac{2}{8}$	$\dfrac{9}{8}$
$\dfrac{3}{8}$		
$\dfrac{7}{8}$		

2 ↓가 가리키는 분수를 쓰고 두 분수의 합을 구하세요.

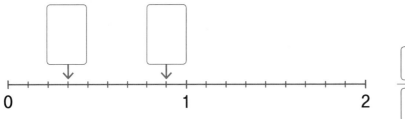

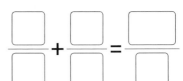

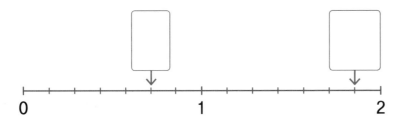

3 수 카드 3장 중에서 2장을 사용하여 가장 큰 진분수와 가장 작은 진분수를 만들고 두 분수의 합을 구하세요.

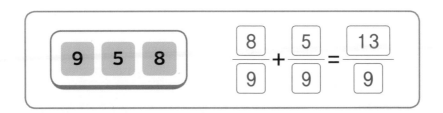

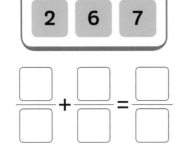

$$\frac{\square}{\square} + \frac{\square}{\square} = \frac{\square}{\square}$$

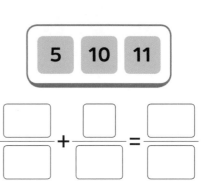

$$\frac{\square}{\square} + \frac{\square}{\square} = \frac{\square}{\square}$$

4 소영이는 매일 아침에 산책을 합니다. 어제는 $\frac{5}{6}$ 시간, 오늘은 $\frac{2}{6}$ 시간 동안 산책을 하였습니다. 소영이가 어제와 오늘 산책한 시간은 모두 몇 시간일까요?

식 _____   답 _____ 시간

5 정철이는 등산을 하였습니다. 전체 등반 코스의 $\frac{5}{12}$ 만큼 올라가 휴식을 취한 후 $\frac{6}{12}$ 만큼 더 올라갔습니다. 정철이는 전체 등반 코스의 얼마만큼 올라갔을까요?

식 _____   답 _____

분수의 뺄셈

개념
원리

분모가 같은 분수의 뺄셈을 알아봅시다.

 ➡

$$\frac{9}{6} - \frac{4}{6} = \frac{\boxed{9} - \boxed{4}}{6} = \frac{\boxed{5}}{6}$$

$\frac{9}{6}$ 는 $\frac{1}{6}$ 이 9개, $\frac{4}{6}$ 는 $\frac{1}{6}$ 이 4개입니다. $\frac{9}{6} - \frac{4}{6}$ 는 $\frac{1}{6}$ 이 5개이므로 $\frac{5}{6}$ 입니다.

 ➡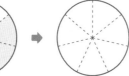

$$\frac{6}{7} - \frac{3}{7} = \frac{\boxed{} - \boxed{}}{7} = \frac{\boxed{}}{7}$$

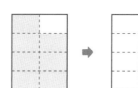

$$\frac{7}{8} - \frac{2}{8} = \frac{\boxed{} - \boxed{}}{8} = \frac{\boxed{}}{8}$$

  ➡

$$\frac{8}{5} - \frac{4}{5} = \frac{\boxed{} - \boxed{}}{5} = \frac{\boxed{}}{5}$$

  ➡

$$\frac{15}{9} - \frac{7}{9} = \frac{\boxed{} - \boxed{}}{9} = \frac{\boxed{}}{\boxed{}}$$

$\dfrac{2}{3} - \dfrac{1}{3} = \dfrac{\boxed{} - \boxed{}}{3} = \dfrac{\boxed{}}{\boxed{}}$

$\dfrac{9}{8} - \dfrac{4}{8} = \dfrac{\boxed{} - \boxed{}}{8} = \dfrac{\boxed{}}{\boxed{}}$

$\dfrac{11}{7} - \dfrac{5}{7} = \dfrac{\boxed{} - \boxed{}}{7} = \dfrac{\boxed{}}{\boxed{}}$

$\dfrac{13}{6} - \dfrac{2}{6} = \dfrac{\boxed{} - \boxed{}}{6} = \dfrac{\boxed{}}{\boxed{}}$

$\dfrac{13}{11} - \dfrac{9}{11} = \dfrac{\boxed{} - \boxed{}}{11} = \dfrac{\boxed{}}{\boxed{}}$

$\dfrac{21}{15} - \dfrac{8}{15} = \dfrac{\boxed{} - \boxed{}}{15} = \dfrac{\boxed{}}{\boxed{}}$

$\dfrac{4}{5} - \dfrac{2}{5}$

$\dfrac{11}{8} - \dfrac{4}{8}$

$\dfrac{15}{2} - \dfrac{10}{2}$

$\dfrac{17}{9} - \dfrac{12}{9}$

$\dfrac{21}{10} - \dfrac{2}{10}$

$\dfrac{11}{7} - \dfrac{9}{7}$

$\dfrac{17}{6} - \dfrac{16}{6}$

$\dfrac{13}{3} - \dfrac{8}{3}$

$\dfrac{21}{4} - \dfrac{18}{4}$

1 분수의 뺄셈을 하여 빈칸에 알맞은 수를 쓰세요.

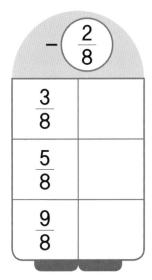

$-\dfrac{2}{8}$

$\dfrac{3}{8}$	
$\dfrac{5}{8}$	
$\dfrac{9}{8}$	

$-\dfrac{3}{6}$

$\dfrac{10}{6}$	
$\dfrac{5}{6}$	
$\dfrac{8}{6}$	

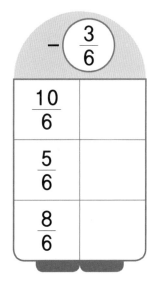

$-\dfrac{5}{9}$

$\dfrac{6}{9}$	
$\dfrac{13}{9}$	
$\dfrac{8}{9}$	

2 수직선의 빈칸에 알맞은 분수를 쓰고 분수의 뺄셈을 하세요.

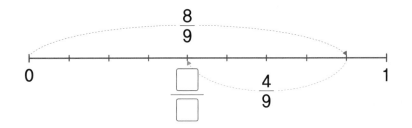

$$\dfrac{8}{9} - \dfrac{4}{9} = \dfrac{\square}{\square}$$

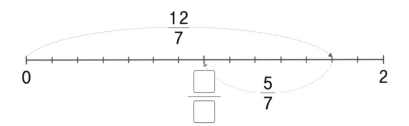

$$\dfrac{12}{7} - \dfrac{5}{7} = \dfrac{\square}{\square}$$

3 ☐ 안에 알맞은 수를 쓰세요.

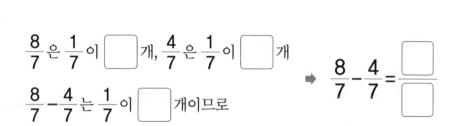

$\dfrac{8}{7}$ 은 $\dfrac{1}{7}$ 이 ☐ 개, $\dfrac{4}{7}$ 은 $\dfrac{1}{7}$ 이 ☐ 개

$\dfrac{8}{7} - \dfrac{4}{7}$ 는 $\dfrac{1}{7}$ 이 ☐ 개이므로

➡ $\dfrac{8}{7} - \dfrac{4}{7} = \dfrac{☐}{☐}$

4 수 카드 4장 중에서 2장을 사용하여 분모가 7인 가장 큰 가분수와 가장 작은 가분수를 만들고 두 분수의 차를 구하세요.

8 15 7 4

$\dfrac{☐}{☐} - \dfrac{☐}{☐} = \dfrac{☐}{☐}$

5 동화책을 수희는 $\dfrac{9}{6}$ 시간 동안 읽었고, 정호는 $\dfrac{4}{6}$ 시간 동안 읽었습니다. 수희는 정호보다 몇 시간 더 읽었을까요?

식 _____ 답 _____ 시간

6 사과나무의 높이는 $\dfrac{15}{8}$ m이고, 감나무의 높이는 $\dfrac{25}{8}$ m입니다. 감나무는 사과나무보다 얼마나 더 높을까요?

식 _____ 답 _____ m

분수의 덧셈과 뺄셈

개념
원리

두 분수의 덧셈과 뺄셈을 하고 그 결과를 대분수로 나타내어 봅시다.

$$\frac{5}{6} + \frac{2}{6} = \frac{\boxed{5} + \boxed{2}}{6} = \frac{\boxed{7}}{6}$$
$$= \boxed{1}\frac{\boxed{1}}{\boxed{6}}$$

$$\frac{15}{4} - \frac{8}{4} = \frac{\boxed{15} - \boxed{8}}{4} = \frac{\boxed{7}}{4}$$
$$= \boxed{1}\frac{\boxed{3}}{\boxed{4}}$$

$$\frac{8}{5} + \frac{6}{5} = \frac{\boxed{} + \boxed{}}{5} = \frac{\boxed{}}{5}$$
$$= \boxed{}\frac{\boxed{}}{\boxed{}}$$

$$\frac{15}{7} - \frac{2}{7} = \frac{\boxed{} - \boxed{}}{7} = \frac{\boxed{}}{7}$$
$$= \boxed{}\frac{\boxed{}}{\boxed{}}$$

$$\frac{3}{8} + \frac{10}{8} = \frac{\boxed{} + \boxed{}}{8} = \frac{\boxed{}}{8}$$
$$= \boxed{}\frac{\boxed{}}{\boxed{}}$$

$$\frac{17}{9} - \frac{1}{9} = \frac{\boxed{} - \boxed{}}{9} = \frac{\boxed{}}{9}$$
$$= \boxed{}\frac{\boxed{}}{\boxed{}}$$

$$\frac{11}{10} + \frac{13}{10} = \frac{\boxed{} + \boxed{}}{10} = \frac{\boxed{}}{10}$$
$$= \boxed{}\frac{\boxed{}}{\boxed{}}$$

$$\frac{31}{11} - \frac{19}{11} = \frac{\boxed{} - \boxed{}}{11} = \frac{\boxed{}}{11}$$
$$= \boxed{}\frac{\boxed{}}{\boxed{}}$$

$$\frac{3}{4} + \frac{2}{4} = \frac{\boxed{}}{4} = \boxed{} \frac{\boxed{}}{\boxed{}}$$

두 분수의 계산 결과를 대분수로 나타내세요.

$$\frac{14}{10} + \frac{17}{10} = \frac{\boxed{}}{10} = \boxed{} \frac{\boxed{}}{\boxed{}}$$

$$\frac{21}{6} - \frac{2}{6} = \frac{\boxed{}}{6} = \boxed{} \frac{\boxed{}}{\boxed{}}$$

$$\frac{23}{9} + \frac{14}{9} = \frac{\boxed{}}{9} = \boxed{} \frac{\boxed{}}{\boxed{}}$$

$$\frac{32}{5} - \frac{13}{5} = \frac{\boxed{}}{5} = \boxed{} \frac{\boxed{}}{\boxed{}}$$

$$\frac{3}{7} + \frac{22}{7}$$

$$\frac{33}{8} - \frac{14}{8}$$

$$\frac{23}{11} + \frac{31}{11}$$

$$\frac{23}{6} - \frac{8}{6}$$

$$\frac{12}{11} + \frac{13}{11}$$

$$\frac{25}{4} - \frac{6}{4}$$

$$\frac{26}{5} + \frac{16}{5}$$

$$\frac{17}{9} - \frac{3}{9}$$

$$\frac{15}{7} + \frac{15}{7}$$

1 빈칸에 알맞은 분수를 쓰세요.

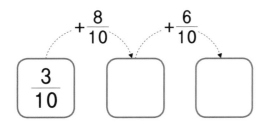

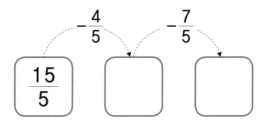

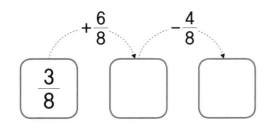

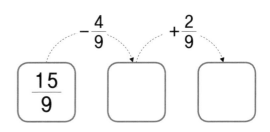

2 다음과 같이 두 분수의 합과 차를 구하세요. 단, 계산 결과가 가분수이면 대분수로 나타내세요.

$$\frac{7}{9} \quad \frac{6}{9}$$

합: $\dfrac{7}{9} + \dfrac{6}{9} = \dfrac{13}{9} = 1\dfrac{4}{9}$

차: $\dfrac{7}{9} - \dfrac{6}{9} = \dfrac{1}{9}$

$$\frac{6}{5} \quad \frac{3}{5}$$

$$\frac{5}{7} \quad \frac{15}{7}$$

합:

_____

차:

_____

합:

_____

차:

_____

3 두 분수를 각각 구하세요.

- 두 분수는 모두 분모가 **11**입니다.
- 분자의 합은 **11**이고, 분자의 차는 **3**입니다.

- 두 분수의 차는 $\dfrac{5}{9}$이고, 합은 $\dfrac{11}{9}$입니다.

4 수 카드 **3**장 중에서 **2**장을 사용하여 만들 수 있는 가장 큰 진분수와 가장 작은 진분수의 합과 차를 구하세요. 단, 계산 결과가 가분수이면 대분수로 나타내세요.

$\boxed{3}$ $\boxed{9}$ $\boxed{8}$

두 분수의 합:

두 분수의 차:

5 길이가 각각 $\dfrac{15}{7}$ m와 $\dfrac{2}{7}$ m인 색 테이프 **2**장이 있습니다.

두 색 테이프의 길이의 합을 대분수로 나타내세요.

식 _____   답 _____ m

두 색 테이프의 길이의 차를 대분수로 나타내세요.

식 _____   답 _____ m

□가 있는 분수의 덧셈과 뺄셈

개념
원리

□가 있는 분수의 덧셈과 뺄셈을 알아봅시다.

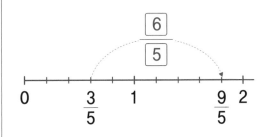

$$\frac{3}{5} + \boxed{\frac{6}{5}} = \frac{9}{5}$$

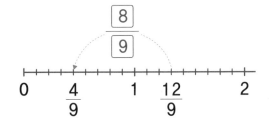

$$\frac{12}{9} - \boxed{\frac{8}{9}} = \frac{4}{9}$$

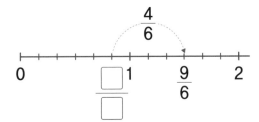

$$\boxed{\frac{\square}{\square}} + \frac{4}{6} = \frac{9}{6}$$

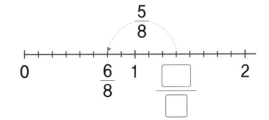

$$\boxed{\frac{\square}{\square}} - \frac{5}{8} = \frac{6}{8}$$

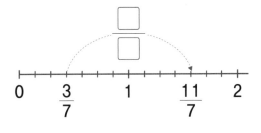

$$\frac{3}{7} + \boxed{\frac{\square}{\square}} = \frac{11}{7}$$

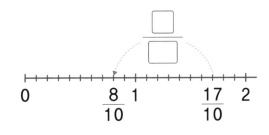

$$\frac{17}{10} - \boxed{\frac{\square}{\square}} = \frac{8}{10}$$

$\dfrac{3}{6} + \dfrac{\square}{6} = \dfrac{11}{6}$

$\dfrac{\square}{3} + \dfrac{5}{3} = \dfrac{8}{3}$

$\dfrac{9}{7} + \dfrac{\square}{7} = \dfrac{16}{7}$

$\dfrac{\square}{5} - \dfrac{6}{5} = \dfrac{8}{5}$

$\dfrac{21}{4} - \dfrac{\square}{4} = \dfrac{3}{4}$

$\dfrac{\square}{9} - \dfrac{15}{9} = \dfrac{26}{9}$

$\dfrac{\square}{\square} + \dfrac{5}{8} = \dfrac{13}{8}$

$\dfrac{6}{5} + \dfrac{\square}{\square} = \dfrac{12}{5}$

$\dfrac{\square}{\square} + \dfrac{3}{10} = \dfrac{12}{10}$

$\dfrac{9}{11} - \dfrac{\square}{\square} = \dfrac{2}{11}$

$\dfrac{\square}{\square} - \dfrac{5}{7} = \dfrac{6}{7}$

$\dfrac{23}{12} - \dfrac{\square}{\square} = \dfrac{18}{12}$

$\dfrac{7}{3} + \dfrac{\square}{\square} = \dfrac{14}{3}$

$\dfrac{\square}{\square} + \dfrac{6}{5} = \dfrac{17}{5}$

$\dfrac{10}{8} + \dfrac{\square}{\square} = \dfrac{17}{8}$

$\dfrac{\square}{\square} - \dfrac{3}{9} = \dfrac{20}{9}$

$\dfrac{23}{13} - \dfrac{\square}{\square} = \dfrac{11}{13}$

$\dfrac{\square}{\square} - \dfrac{10}{7} = \dfrac{21}{7}$

1 분수의 덧셈과 뺄셈을 하여 빈칸에 알맞은 수를 쓰세요. (단, 뺄셈은 왼쪽 수에서 위쪽 수를 뺍니다.)

$+$	$\dfrac{2}{9}$	
	$\dfrac{7}{9}$	
$\dfrac{8}{9}$		$\dfrac{11}{9}$

$-$		$\dfrac{5}{7}$
$\dfrac{6}{7}$	$\dfrac{4}{7}$	
		$\dfrac{11}{7}$

$-$	$\dfrac{3}{8}$	
$\dfrac{6}{8}$		$\dfrac{2}{8}$
	$\dfrac{8}{8}$	

$+$		$\dfrac{4}{6}$
		$\dfrac{11}{6}$
$\dfrac{5}{6}$	$\dfrac{13}{6}$	

2 □ 안에 들어갈 수 있는 수를 모두 찾아 ◯표 하세요.

$$\dfrac{\square}{8} + \dfrac{5}{8} < \dfrac{12}{8}$$

5	6	7	8	9

$$\dfrac{9}{11} + \dfrac{\square}{11} > \dfrac{21}{11}$$

10	11	12	13	14

$$\dfrac{15}{7} - \dfrac{\square}{7} < \dfrac{7}{7}$$

6	7	8	9	10

$$\dfrac{17}{12} - \dfrac{\square}{12} > \dfrac{8}{12}$$

7	8	9	10	11

3   다음 덧셈의 계산 결과가 진분수일 때 ☐ 안에 들어갈 수 있는 수를 모두 쓰세요.

$$\frac{\square}{13} + \frac{7}{13}$$

_____

4   $\frac{7}{11}$ 에 어떤 수를 더했더니 $\frac{12}{11}$ 가 되었습니다. 어떤 수를 ☐라고 하여 식을 세우고 어떤 수를 구하세요.

식 _____   답 _____

5   어떤 수에 $\frac{2}{11}$ 를 더해야 할 것을 잘못하여 뺐더니 $\frac{10}{11}$ 이 되었습니다. 바르게 계산하면 얼마일까요?

잘못된 식: 식 _____   어떤 수: _____

바르게 계산하기: 식 _____   답 _____

6   대현이가 컵의 $\frac{4}{5}$ 만큼 남아 있는 우유에서 얼마를 마셨더니 $\frac{1}{5}$ 만큼 남았습니다. 대현이가 마신 우유는 컵의 몇 분의 몇일까요?

식 _____   답 _____

1 분수의 덧셈을 하세요.

$\dfrac{5}{8} + \dfrac{7}{8}$　　　　　　$\dfrac{8}{9} + \dfrac{11}{9}$　　　　　　$\dfrac{10}{7} + \dfrac{1}{7}$

$\dfrac{7}{17} + \dfrac{9}{17}$　　　　　　$\dfrac{11}{14} + \dfrac{5}{14}$　　　　　　$\dfrac{18}{16} + \dfrac{13}{16}$

2 윤수는 책의 $\dfrac{7}{9}$ 을, 서희는 같은 책의 $\dfrac{8}{9}$ 을 읽었습니다. 윤수와 서희가 읽은 책의 양은 모두 얼마일까요?

식 _____　　　답 _____

3 분수를 뺄셈을 하여 빈칸에 알맞은 수를 쓰세요.

$-\dfrac{3}{10}$	
$\dfrac{5}{10}$	
$\dfrac{11}{10}$	
$\dfrac{7}{10}$	

$-\dfrac{7}{9}$	
$\dfrac{15}{9}$	
$\dfrac{8}{9}$	
$\dfrac{12}{9}$	

$-\dfrac{3}{6}$	
$\dfrac{7}{6}$	
$\dfrac{5}{6}$	
$\dfrac{10}{6}$	

4 □ 안에 알맞은 수를 쓰세요.

$\dfrac{13}{8}$ 은 $\dfrac{1}{8}$ 이 ☐ 개, $\dfrac{7}{8}$ 은 $\dfrac{1}{8}$ 이 ☐ 개

$\dfrac{13}{8} - \dfrac{7}{8}$ 은 $\dfrac{1}{8}$ 이 ☐ 개이므로

➡ $\dfrac{13}{8} - \dfrac{7}{8} = \dfrac{☐}{☐}$

5 빈칸에 알맞은 분수를 쓰세요.

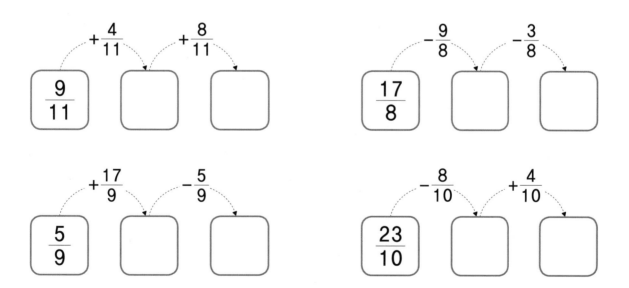

6 지윤이는 물을 $\frac{5}{9}$ 컵, 효빈이는 $\frac{17}{9}$ 컵 가지고 있습니다.

지윤이와 효빈이가 가진 물의 양의 합을 대분수로 나타내세요.

 식 _____   답 _____ 컵

지윤이와 효빈이가 가진 물의 양의 차를 대분수로 나타내세요.

식 _____   답 _____ 컵

7 □가 있는 분수의 덧셈과 뺄셈을 하세요.

$\frac{8}{5} + \dfrac{\Box}{\Box} = \frac{12}{5}$ $\dfrac{\Box}{\Box} + \frac{17}{8} = \frac{21}{8}$ $\frac{7}{12} + \dfrac{\Box}{\Box} = \frac{15}{12}$

$\dfrac{\Box}{\Box} - \frac{8}{7} = \frac{15}{7}$ $\frac{32}{11} - \dfrac{\Box}{\Box} = \frac{16}{11}$ $\dfrac{\Box}{\Box} - \frac{13}{9} = \frac{19}{9}$

8 어떤 수에서 $\frac{6}{7}$ 을 빼야할 것을 잘못하여 더했더니 $\frac{25}{7}$ 가 되었습니다. 바르게 계산하면 얼마일까요?

잘못된 식: 식 _____   어떤 수: _____

바르게 계산하기: 식 _____   답 _____

정답

응용 연산

C2
초3~초4

여러 가지 분수

Creative to Math
씨투엠

C2 여러 가지 분수
초3~초4

정답 및
길잡이

분수 나타내기

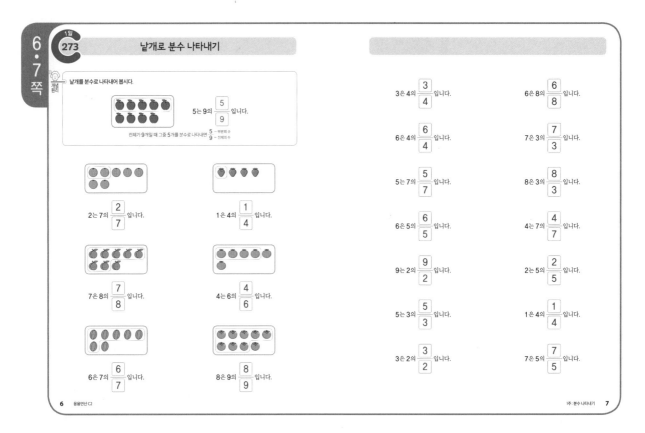

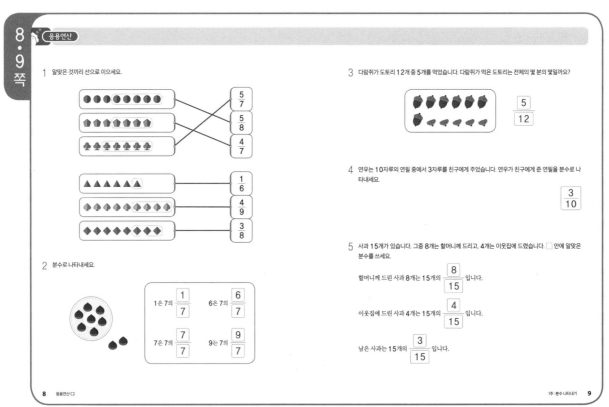

274 2일 C

묶음으로 분수 나타내기

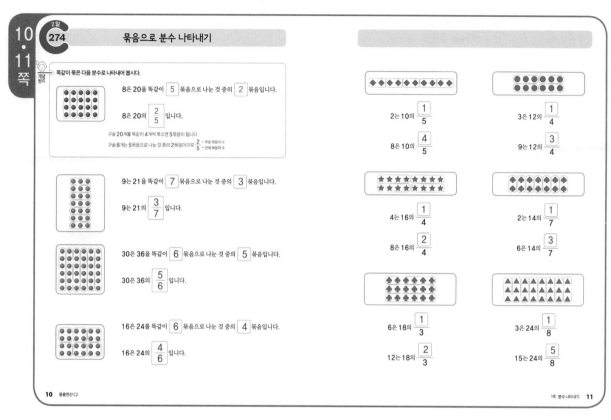

똑같이 묶은 다음 분수로 나타내어 봅시다.

8은 20을 똑같이 [5] 묶음으로 나눈 것 중의 [2] 묶음입니다.

8은 20의 $\frac{2}{5}$ 입니다.

구슬 20개를 똑같이 4개씩 묶으면 5묶음이 됩니다.
구슬 8개는 5묶음으로 나눈 것 중의 2묶음이므로 $\frac{2}{5}$ → 부분 묶음의 수 → 전체 묶음의 수

9는 21을 똑같이 [7] 묶음으로 나눈 것 중의 [3] 묶음입니다.

9는 21의 $\frac{3}{7}$ 입니다.

30은 36을 똑같이 [6] 묶음으로 나눈 것 중의 [5] 묶음입니다.

30은 36의 $\frac{5}{6}$ 입니다.

16은 24를 똑같이 [6] 묶음으로 나눈 것 중의 [4] 묶음입니다.

16은 24의 $\frac{4}{6}$ 입니다.

2는 10의 $\frac{1}{5}$

8은 10의 $\frac{4}{5}$

3은 12의 $\frac{1}{4}$

9는 12의 $\frac{3}{4}$

4는 16의 $\frac{1}{4}$

8은 16의 $\frac{2}{4}$

2는 14의 $\frac{1}{7}$

6은 14의 $\frac{3}{7}$

6은 18의 $\frac{1}{3}$

12는 18의 $\frac{2}{3}$

3은 24의 $\frac{1}{8}$

15는 24의 $\frac{5}{8}$

응용연산

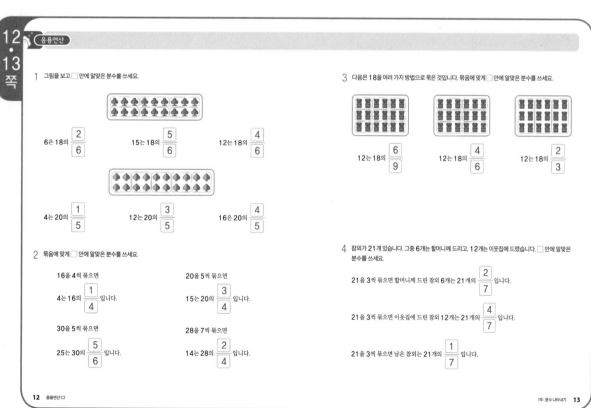

1 그림을 보고 □ 안에 알맞은 분수를 쓰세요.

6은 18의 $\frac{2}{6}$

15는 18의 $\frac{5}{6}$

12는 18의 $\frac{4}{6}$

4는 20의 $\frac{1}{5}$

12는 20의 $\frac{3}{5}$

16은 20의 $\frac{4}{5}$

2 묶음에 맞게 □ 안에 알맞은 분수를 쓰세요.

16을 4씩 묶으면

4는 16의 $\frac{1}{4}$ 입니다.

30을 5씩 묶으면

25는 30의 $\frac{5}{6}$ 입니다.

20을 5씩 묶으면

15는 20의 $\frac{3}{4}$ 입니다.

28을 7씩 묶으면

14는 28의 $\frac{2}{4}$ 입니다.

3 다음은 18을 여러 가지 방법으로 묶은 것입니다. 묶음에 맞게 □ 안에 알맞은 분수를 쓰세요.

12는 18의 $\frac{6}{9}$

12는 18의 $\frac{4}{6}$

12는 18의 $\frac{2}{3}$

4 참외가 21개 있습니다. 그중 6개는 할머니께 드리고, 12개는 이웃집에 드렸습니다. □ 안에 알맞은 분수를 쓰세요.

21을 3씩 묶으면 할머니께 드린 참외 6개는 21개의 $\frac{2}{7}$ 입니다.

21을 3씩 묶으면 이웃집에 드린 참외 12개는 21개의 $\frac{4}{7}$ 입니다.

21을 3씩 묶으면 남은 참외는 21개의 $\frac{1}{7}$ 입니다.

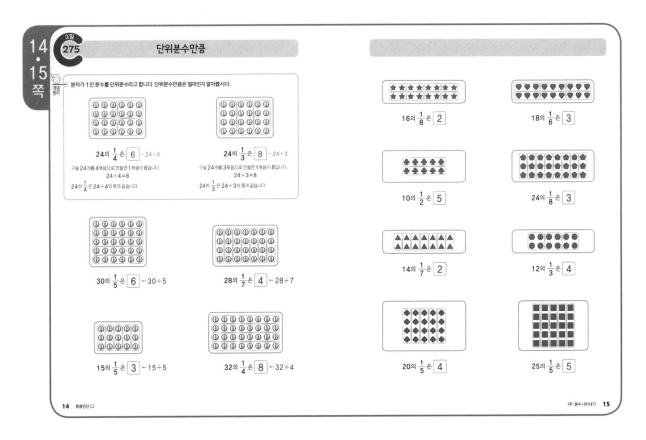

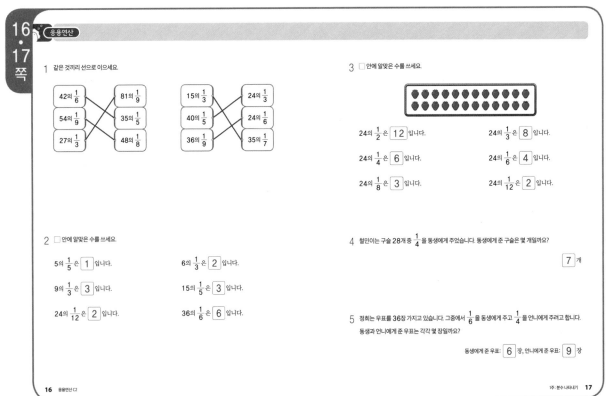

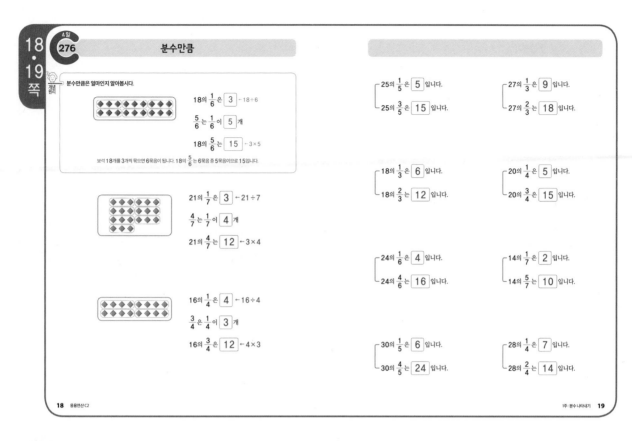

C 276 분수만큼

분수만큼은 얼마인지 알아봅시다.

18의 $\frac{1}{6}$ 은 3 ← 18÷6

$\frac{5}{6}$ 는 $\frac{1}{6}$ 이 5 개

18의 $\frac{5}{6}$ 는 15 ← 3×5

보석 18개를 3개씩 묶으면 6묶음이 됩니다. 18의 $\frac{5}{6}$ 는 6묶음 중 5묶음이므로 15입니다.

21의 $\frac{1}{7}$ 은 3 ← 21÷7

$\frac{4}{7}$ 는 $\frac{1}{7}$ 이 4 개

21의 $\frac{4}{7}$ 는 12 ← 3×4

16의 $\frac{1}{4}$ 은 4 ← 16÷4

$\frac{3}{4}$ 은 $\frac{1}{4}$ 이 3 개

16의 $\frac{3}{4}$ 은 12 ← 4×3

25의 $\frac{1}{5}$ 은 5 입니다.
25의 $\frac{3}{5}$ 은 15 입니다.

27의 $\frac{1}{3}$ 은 9 입니다.
27의 $\frac{2}{3}$ 은 18 입니다.

18의 $\frac{1}{3}$ 은 6 입니다.
18의 $\frac{2}{3}$ 은 12 입니다.

20의 $\frac{1}{4}$ 은 5 입니다.
20의 $\frac{3}{4}$ 은 15 입니다.

24의 $\frac{1}{6}$ 은 4 입니다.
24의 $\frac{4}{6}$ 는 16 입니다.

14의 $\frac{1}{7}$ 은 2 입니다.
14의 $\frac{5}{7}$ 는 10 입니다.

30의 $\frac{1}{5}$ 은 6 입니다.
30의 $\frac{4}{5}$ 는 24 입니다.

28의 $\frac{1}{4}$ 은 7 입니다.
28의 $\frac{2}{4}$ 는 14 입니다.

응용연산

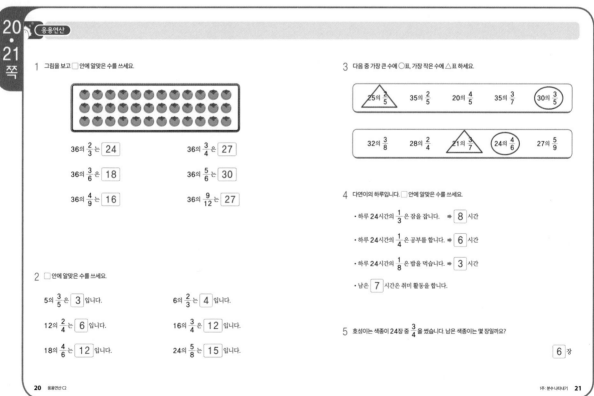

1 그림을 보고 □안에 알맞은 수를 쓰세요.

36의 $\frac{2}{3}$ 는 24

36의 $\frac{3}{4}$ 은 27

36의 $\frac{3}{6}$ 은 18

36의 $\frac{5}{6}$ 는 30

36의 $\frac{4}{9}$ 는 16

36의 $\frac{9}{12}$ 는 27

2 □안에 알맞은 수를 쓰세요.

5의 $\frac{3}{5}$ 은 3 입니다.

6의 $\frac{2}{3}$ 는 4 입니다.

12의 $\frac{2}{4}$ 는 6 입니다.

16의 $\frac{3}{4}$ 은 12 입니다.

18의 $\frac{4}{6}$ 는 12 입니다.

24의 $\frac{5}{8}$ 는 15 입니다.

3 다음 중 가장 큰 수에 ○표, 가장 작은 수에 △표 하세요.

△25의 $\frac{2}{5}$ 35의 $\frac{2}{5}$ 20의 $\frac{4}{5}$ 35의 $\frac{3}{7}$ ○30의 $\frac{3}{5}$

32의 $\frac{3}{8}$ 28의 $\frac{2}{4}$ △21의 $\frac{3}{7}$ ○24의 $\frac{4}{6}$ 27의 $\frac{5}{9}$

4 다연이의 하루입니다. □ 안에 알맞은 수를 쓰세요.

• 하루 24시간의 $\frac{1}{3}$ 은 잠을 잡니다. ➡ 8 시간

• 하루 24시간의 $\frac{1}{4}$ 은 공부를 합니다. ➡ 6 시간

• 하루 24시간의 $\frac{1}{8}$ 은 밥을 먹습니다. ➡ 3 시간

• 남은 7 시간은 취미 활동을 합니다.

5 호성이는 색종이 24장 중 $\frac{3}{4}$ 을 썼습니다. 남은 색종이는 몇 장일까요?

6 장

22·23쪽 5일 형성평가

1 □안에 알맞은 분수를 쓰세요.

4는 5의 $\dfrac{4}{5}$ 입니다.   11은 4의 $\dfrac{11}{4}$ 입니다.

7은 2의 $\dfrac{7}{2}$ 입니다.   5는 6의 $\dfrac{5}{6}$ 입니다.

2 진구는 딸기 12개 중에 7개를 먹었습니다. 진구가 먹은 딸기를 분수로 나타내세요.

$\dfrac{7}{12}$

3 묶음에 맞게 □안에 알맞은 분수를 쓰세요.

21을 3씩 묶으면
15는 21의 $\dfrac{5}{7}$ 입니다.

25를 5씩 묶으면
10은 25의 $\dfrac{2}{5}$ 입니다.

16을 4씩 묶으면
12는 16의 $\dfrac{3}{4}$ 입니다.

28을 4씩 묶으면
16은 28의 $\dfrac{4}{7}$ 입니다.

4 연수는 하루 24시간 중 6시간을 학교에서 보내고 3시간은 놀이터에서 보내고, 남은 시간은 집에서 보냈습니다. □안에 알맞은 분수를 쓰세요.

24를 3씩 묶으면 학교에서 보낸 6시간은 24시간의 $\dfrac{2}{8}$ 입니다.

24를 3씩 묶으면 놀이터에서 보낸 3시간은 24시간의 $\dfrac{1}{8}$ 입니다.

24를 3씩 묶으면 집에서 보낸 남은 시간은 24시간의 $\dfrac{5}{8}$ 입니다.

5 같은 것끼리 선으로 이으세요.

6 민우는 사탕 32개 중 $\dfrac{1}{8}$ 을 먹었습니다. 몇 개의 사탕을 먹었을까요?

$\boxed{4}$ 개

24쪽

7 □안에 알맞은 수를 쓰세요.

- 16의 $\dfrac{1}{4}$ 은 $\boxed{4}$ 입니다.
- 16의 $\dfrac{3}{4}$ 은 $\boxed{12}$ 입니다.

- 21의 $\dfrac{1}{7}$ 은 $\boxed{3}$ 입니다.
- 21의 $\dfrac{5}{7}$ 은 $\boxed{15}$ 입니다.

- 25의 $\dfrac{1}{5}$ 은 $\boxed{5}$ 입니다.
- 25의 $\dfrac{2}{5}$ 는 $\boxed{10}$ 입니다.

- 18의 $\dfrac{1}{3}$ 은 $\boxed{6}$ 입니다.
- 18의 $\dfrac{2}{3}$ 는 $\boxed{12}$ 입니다.

8 □안에 알맞은 수를 쓰세요.

8의 $\dfrac{3}{4}$ 은 $\boxed{6}$ 입니다.   10의 $\dfrac{4}{5}$ 는 $\boxed{8}$ 입니다.

20의 $\dfrac{3}{5}$ 은 $\boxed{12}$ 입니다.   28의 $\dfrac{3}{4}$ 은 $\boxed{21}$ 입니다.

24의 $\dfrac{6}{8}$ 은 $\boxed{18}$ 입니다.   14의 $\dfrac{2}{7}$ 는 $\boxed{4}$ 입니다.

9 소정이는 한 달 30일 중 $\dfrac{2}{5}$ 는 책을 읽었습니다. 책을 읽지 않은 날은 며칠일까요?

$\boxed{18}$ 일

분수의 종류

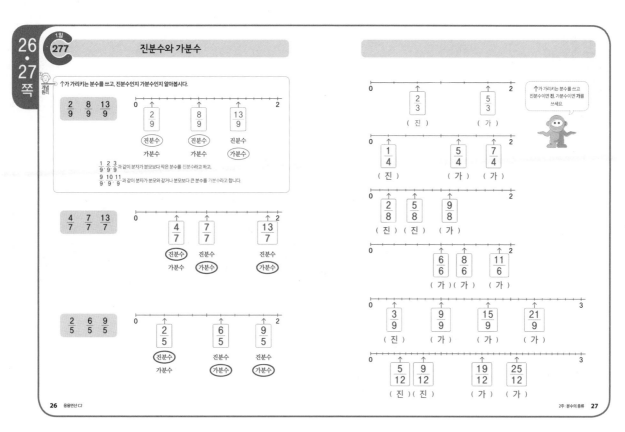

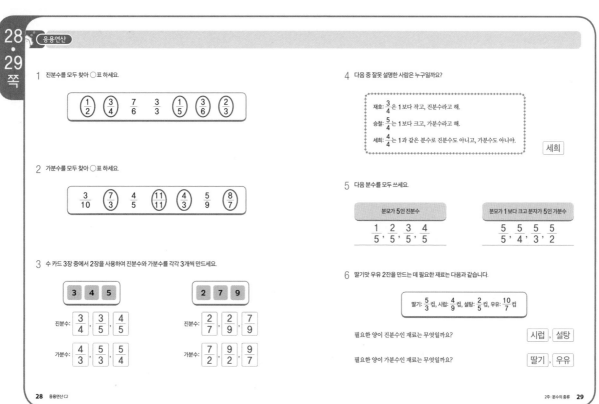

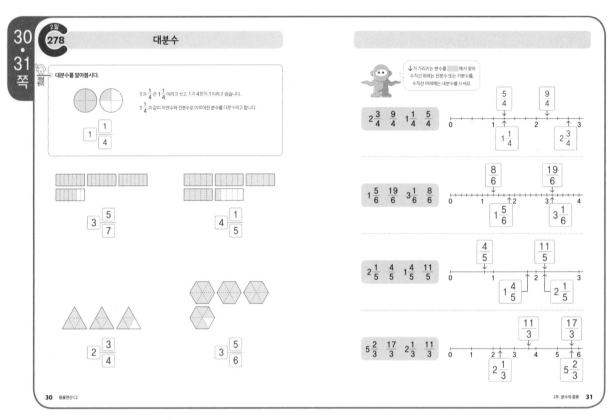

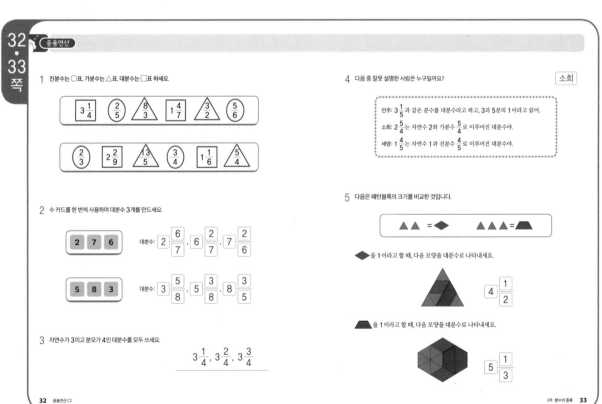

3일 C 279 대분수를 가분수로 고치기

개념 대분수를 가분수로 고쳐봅시다.

 $3\frac{4}{5} = \boxed{\dfrac{19}{5}}$

$\frac{1}{5}$이 $\boxed{15}$개 $\frac{1}{5}$이 $\boxed{4}$개

3은 $\frac{1}{5}$이 15개이고, $\frac{4}{5}$는 $\frac{1}{5}$이 4개입니다.

$3\frac{4}{5}$는 $\frac{1}{5}$이 19개이므로 가분수로 나타내면 $\frac{19}{5}$입니다.

$\frac{1}{8}$이 $\boxed{8}$개 $\frac{1}{8}$이 $\boxed{7}$개 $\frac{1}{7}$이 $\boxed{14}$개 $\frac{1}{7}$이 $\boxed{5}$개

$1\frac{7}{8} = \boxed{\dfrac{15}{8}}$ $2\frac{5}{7} = \boxed{\dfrac{19}{7}}$

$\frac{1}{3}$이 $\boxed{15}$개 $\frac{1}{3}$이 $\boxed{2}$개 $\frac{1}{4}$이 $\boxed{16}$개 $\frac{1}{4}$이 $\boxed{3}$개

$5\frac{2}{3} = \boxed{\dfrac{17}{3}}$ $4\frac{3}{4} = \boxed{\dfrac{19}{4}}$

1은 $\frac{1}{7}$이 $\boxed{7}$개
$\frac{3}{7}$은 $\frac{1}{7}$이 $\boxed{3}$개
$1\frac{3}{7}$은 $\frac{1}{7}$이 $\boxed{10}$개

$1\frac{3}{7} = \boxed{\dfrac{10}{7}}$

1은 $\frac{1}{5}$이 $\boxed{5}$개
$\frac{4}{5}$는 $\frac{1}{5}$이 $\boxed{4}$개
$1\frac{4}{5}$는 $\frac{1}{5}$이 $\boxed{9}$개

$1\frac{4}{5} = \boxed{\dfrac{9}{5}}$

2는 $\frac{1}{8}$이 $\boxed{16}$개
$\frac{3}{8}$은 $\frac{1}{8}$이 $\boxed{3}$개
$2\frac{3}{8}$은 $\frac{1}{8}$이 $\boxed{19}$개

$2\frac{3}{8} = \boxed{\dfrac{19}{8}}$

3은 $\frac{1}{6}$이 $\boxed{18}$개
$\frac{2}{6}$은 $\frac{1}{6}$이 $\boxed{2}$개
$3\frac{2}{6}$는 $\frac{1}{6}$이 $\boxed{20}$개

$3\frac{2}{6} = \boxed{\dfrac{20}{6}}$

4는 $\frac{1}{4}$이 $\boxed{16}$개
$\frac{1}{4}$은 $\frac{1}{4}$이 $\boxed{1}$개
$4\frac{1}{4}$은 $\frac{1}{4}$이 $\boxed{17}$개

$4\frac{1}{4} = \boxed{\dfrac{17}{4}}$

2는 $\frac{1}{3}$이 $\boxed{6}$개
$\frac{2}{3}$은 $\frac{1}{3}$이 $\boxed{2}$개
$2\frac{2}{3}$는 $\frac{1}{3}$이 $\boxed{8}$개

$2\frac{2}{3} = \boxed{\dfrac{8}{3}}$

$2\frac{5}{6} = \boxed{\dfrac{17}{6}}$ $4\frac{3}{5} = \boxed{\dfrac{23}{5}}$ $1\frac{1}{9} = \boxed{\dfrac{10}{9}}$

$3\frac{3}{4} = \boxed{\dfrac{15}{4}}$ $2\frac{5}{8} = \boxed{\dfrac{21}{8}}$ $4\frac{2}{3} = \boxed{\dfrac{14}{3}}$

응용연산

1 같은 것끼리 선으로 이으세요.

$2\frac{2}{5}$ $\boxed{\dfrac{16}{6}}$
$3\frac{1}{5}$ $\boxed{\dfrac{16}{5}}$
$2\frac{4}{6}$ $\boxed{\dfrac{12}{5}}$

$2\frac{3}{4}$ $\boxed{\dfrac{11}{4}}$
$4\frac{2}{3}$ $\boxed{\dfrac{13}{4}}$
$3\frac{1}{4}$ $\boxed{\dfrac{14}{3}}$

2 수 카드를 한 번씩 사용하여 대분수를 3개 만들고 가분수로 나타내세요.

$\boxed{2}\ \boxed{3}\ \boxed{5}$

$2\frac{3}{5} = \boxed{\dfrac{13}{5}}$ $3\frac{2}{5} = \boxed{\dfrac{17}{5}}$ $5\frac{2}{3} = \boxed{\dfrac{17}{3}}$

$\boxed{3}\ \boxed{4}\ \boxed{6}$

$3\frac{4}{6} = \boxed{\dfrac{22}{6}}$ $4\frac{3}{6} = \boxed{\dfrac{27}{6}}$ $6\frac{3}{4} = \boxed{\dfrac{27}{4}}$

3 다음 그림을 보고 대분수와 가분수로 나타내세요.

대분수: $\boxed{4\dfrac{1}{4}}$ 가분수: $\boxed{\dfrac{17}{4}}$

대분수: $\boxed{2\dfrac{5}{6}}$ 가분수: $\boxed{\dfrac{17}{6}}$

4 정호는 색종이 5장과 1장의 $\frac{1}{4}$을 사용하여 고리 팔지를 만들었습니다. 정호가 사용한 색종이의 양을 가분수로 나타내세요.

$\boxed{\dfrac{21}{4}}$

5 먹고 남은 피자를 대분수로 나타내면 $2\frac{1}{6}$입니다. 똑같이 6조각으로 나누어진 피자는 몇 조각 남았을까요?

$\boxed{13}$ 조각

정답 및 해설 **9**

38·39쪽

280 가분수를 대분수로 고치기

가분수만큼 색칠하고 대분수로 고쳐 봅시다.

$$\frac{7}{4} = 1\frac{3}{4}$$

$\frac{7}{4}$은 $\frac{1}{4}$이 7개입니다.
$\frac{1}{4}$을 7개 색칠하면 1과 $\frac{3}{4}$입니다.

$$\frac{8}{3} = 2\frac{2}{3}$$

$\frac{8}{3}$은 $\frac{1}{3}$이 8개입니다.
$\frac{1}{3}$을 8개 색칠하면 2와 $\frac{2}{3}$입니다.

$$\frac{7}{6} = 1\frac{1}{6}$$

$$\frac{11}{4} = 2\frac{3}{4}$$

$$\frac{12}{5} = 2\frac{2}{5}$$

$$\frac{13}{8} = 1\frac{5}{8}$$

$$\frac{14}{5} = 2\frac{4}{5}$$
$$\boxed{\frac{10}{5}} \quad \boxed{\frac{4}{5}}$$

$$\frac{8}{3} = 2\frac{2}{3}$$
$$\boxed{\frac{6}{3}} \quad \boxed{\frac{2}{3}}$$

$$\frac{10}{6} = 1\frac{4}{6}$$
$$\boxed{\frac{6}{6}} \quad \boxed{\frac{4}{6}}$$

$$\frac{23}{4} = 5\frac{3}{4}$$
$$\boxed{\frac{20}{4}} \quad \boxed{\frac{3}{4}}$$

$$\frac{18}{7} = 2\frac{4}{7}$$
$$\boxed{\frac{14}{7}} \quad \boxed{\frac{4}{7}}$$

$$\frac{7}{2} = 3\frac{1}{2}$$
$$\boxed{\frac{6}{2}} \quad \boxed{\frac{1}{2}}$$

$$\frac{17}{8} = 2\frac{1}{8}$$
$$\boxed{\frac{16}{8}} \quad \boxed{\frac{1}{8}}$$

$$\frac{31}{9} = 3\frac{4}{9}$$
$$\boxed{\frac{27}{9}} \quad \boxed{\frac{4}{9}}$$

$$\frac{11}{4} = 2\frac{3}{4}$$
$$\boxed{\frac{8}{4}} \quad \boxed{\frac{3}{4}}$$

$$\frac{9}{4} = 2\frac{1}{4}$$

$$\frac{7}{5} = 1\frac{2}{5}$$

$$\frac{9}{2} = 4\frac{1}{2}$$

$$\frac{25}{6} = 4\frac{1}{6}$$

$$\frac{17}{7} = 2\frac{3}{7}$$

$$\frac{14}{3} = 4\frac{2}{3}$$

40·41쪽

응용연산

1 같은 것끼리 선으로 이으세요.

$$\boxed{\frac{17}{8}} \quad \boxed{3\frac{3}{7}}$$
$$\boxed{\frac{17}{7}} \quad \boxed{2\frac{3}{7}}$$
$$\boxed{\frac{24}{7}} \quad \boxed{2\frac{1}{8}}$$

$$\boxed{\frac{16}{6}} \quad \boxed{2\frac{2}{5}}$$
$$\boxed{\frac{16}{5}} \quad \boxed{3\frac{1}{5}}$$
$$\boxed{\frac{12}{5}} \quad \boxed{2\frac{4}{6}}$$

2 수 카드 3장 중에서 2장을 사용하여 만들 수 있는 가분수를 모두 쓰고, 대분수로 나타내세요.

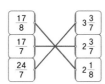

$$\frac{4}{3} = 1\frac{1}{3} \qquad \frac{7}{3} = 2\frac{1}{3} \qquad \frac{7}{4} = 1\frac{3}{4}$$

$$\frac{7}{2} = 3\frac{1}{2} \qquad \frac{9}{2} = 4\frac{1}{2} \qquad \frac{9}{7} = 1\frac{2}{7}$$

3 소정이네 모둠 학생들 중 가분수 $\frac{13}{4}$을 대분수로 바르게 고친 사람은 누구일까요?

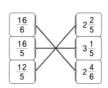

소정: $\frac{13}{4}$은 1과 $\frac{9}{4}$와 같아. $\frac{13}{4}$은 $1\frac{9}{4}$로 고칠 수 있어.
현주: $\frac{13}{4}$은 2와 $\frac{5}{4}$와 같아. $\frac{13}{4}$은 $2\frac{5}{4}$로 고칠 수 있어.
희주: $\frac{13}{4}$은 3과 $\frac{1}{4}$과 같아. $\frac{13}{4}$은 $3\frac{1}{4}$로 고칠 수 있어.

$$\boxed{희주}$$

4 주스를 만드는 데 토마토 $\frac{7}{5}$개, 오렌지 $4\frac{5}{6}$개, 물 $\frac{4}{5}$컵이 필요하다고 합니다. 가분수를 찾아 대분수로 나타내세요.

$$\boxed{1\frac{2}{5}}$$

5 연우네 모둠은 6조각으로 나누어진 똑같은 크기의 피자 3개 중에서 11조각을 먹었습니다.

연우네 모둠이 먹은 피자의 양을 가분수와 대분수로 나타내세요.

$$\boxed{\frac{11}{6}} = \boxed{1\frac{5}{6}}$$개

남은 피자의 양을 가분수와 대분수로 나타내세요.

$$\boxed{\frac{7}{6}} = \boxed{1\frac{1}{6}}$$개

형성평가

1 ↑가 가리키는 분수를 쓰고 진분수이면 진, 가분수이면 가를 쓰세요.

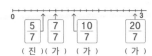

0 ──────── 2
$\frac{6}{9}$ (진) $\frac{13}{9}$ (가) $\frac{16}{9}$ (가)

0 ──────── 2
$\frac{1}{5}$ (진) $\frac{4}{5}$ (진) $\frac{8}{5}$ (가)

0 ──────── 3
$\frac{5}{7}$ (진) $\frac{7}{7}$ (가) $\frac{10}{7}$ (가) $\frac{20}{7}$ (가)

2 수 카드 3장 중에서 2장을 사용하여 진분수와 가분수를 각각 3개씩 만드세요.

2 **5** **7**

진분수: $\frac{2}{5}$, $\frac{2}{7}$, $\frac{5}{7}$

가분수: $\frac{5}{2}$, $\frac{7}{2}$, $\frac{7}{5}$

3 **7** **9**

진분수: $\frac{3}{7}$, $\frac{3}{9}$, $\frac{7}{9}$

가분수: $\frac{7}{3}$, $\frac{9}{3}$, $\frac{9}{7}$

3 진분수는 ○표, 가분수는 △표, 대분수는 □표 하세요.

$\triangle\frac{7}{2}$ $\square 4\frac{3}{6}$ $\bigcirc\frac{2}{5}$ $\triangle\frac{9}{4}$ $\square 2\frac{5}{8}$ $\bigcirc\frac{1}{7}$

$\bigcirc\frac{5}{9}$ $\triangle\frac{8}{3}$ $\square 1\frac{5}{11}$ $\square 3\frac{4}{7}$ $\triangle\frac{13}{2}$ $\bigcirc\frac{3}{8}$

4 자연수가 7이고 분모가 5인 대분수를 모두 쓰세요.

$7\frac{1}{5}$, $7\frac{2}{5}$, $7\frac{3}{5}$, $7\frac{4}{5}$

5 □안에 알맞은 수를 쓰세요.

2는 $\frac{1}{7}$이 $\boxed{14}$ 개
$\frac{5}{7}$는 $\frac{1}{7}$이 $\boxed{5}$ 개
$2\frac{5}{7}$는 $\frac{1}{7}$이 $\boxed{19}$ 개
$2\frac{5}{7} = \frac{\boxed{19}}{7}$

3은 $\frac{1}{8}$이 $\boxed{24}$ 개
$\frac{3}{8}$은 $\frac{1}{8}$이 $\boxed{3}$ 개
$3\frac{3}{8}$은 $\frac{1}{8}$이 $\boxed{27}$ 개
$3\frac{3}{8} = \frac{\boxed{27}}{8}$

4는 $\frac{1}{6}$이 $\boxed{24}$ 개
$\frac{5}{6}$는 $\frac{1}{6}$이 $\boxed{5}$ 개
$4\frac{5}{6}$는 $\frac{1}{6}$이 $\boxed{29}$ 개
$4\frac{5}{6} = \frac{\boxed{29}}{6}$

---

6 민서네 가족은 호떡 6개와 $\frac{1}{3}$을 먹었습니다. 민서네가 먹은 호떡의 양을 가분수로 나타내세요.

$\frac{\boxed{19}}{3}$ 개

7 □안에 알맞은 수를 쓰세요.

$\frac{7}{2} = \boxed{3}\frac{\boxed{1}}{\boxed{2}}$ $\frac{20}{3} = \boxed{6}\frac{\boxed{2}}{\boxed{3}}$ $\frac{19}{7} = \boxed{2}\frac{\boxed{5}}{\boxed{7}}$

$\frac{23}{5} = \boxed{4}\frac{\boxed{3}}{\boxed{5}}$ $\frac{31}{6} = \boxed{5}\frac{\boxed{1}}{\boxed{6}}$ $\frac{29}{8} = \boxed{3}\frac{\boxed{5}}{\boxed{8}}$

8 가연이는 4조각으로 나누어진 똑같은 크기의 색종이 6장 중에서 17조각을 사용했습니다.

가연이가 사용한 색종이를 가분수와 대분수로 나타내세요.

$\frac{\boxed{17}}{4} = \boxed{4}\frac{\boxed{1}}{\boxed{4}}$ 장

남은 색종이를 가분수와 대분수로 나타내세요.

$\frac{\boxed{7}}{4} = \boxed{1}\frac{\boxed{3}}{\boxed{4}}$ 장

분수의 크기 (2)

281 진분수, 가분수의 크기 비교

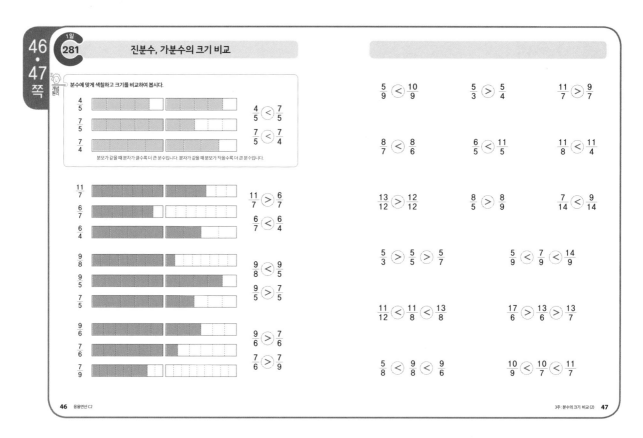

응용연산

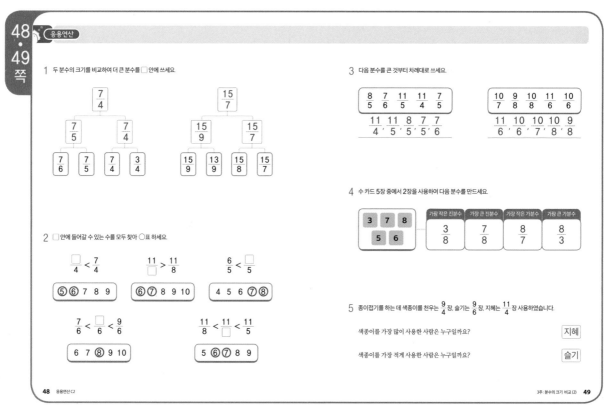

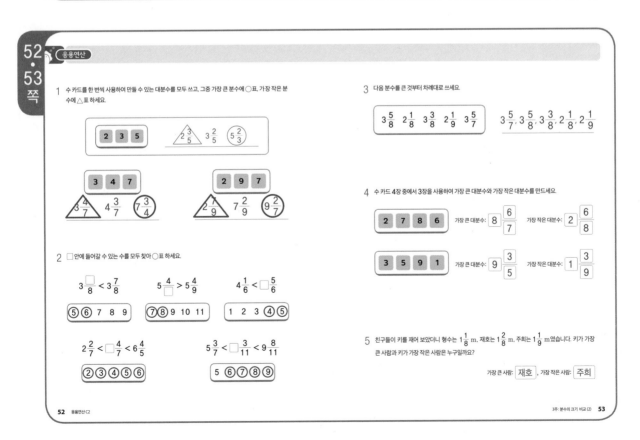

$1\frac{2}{7}$ ⊘ $3\frac{2}{7}$ $3\frac{1}{5}$ ⊘ $2\frac{4}{5}$ $2\frac{2}{9}$ ⊘ $1\frac{4}{7}$

$1\frac{1}{6}$ ⊘ $1\frac{5}{6}$ $3\frac{3}{8}$ ⊘ $3\frac{5}{8}$ $7\frac{4}{5}$ ⊘ $7\frac{3}{5}$

$2\frac{5}{11}$ ⊘ $2\frac{5}{8}$ $6\frac{3}{10}$ ⊘ $6\frac{3}{11}$ $5\frac{4}{7}$ ⊘ $5\frac{4}{5}$

$1\frac{1}{2}$ ⊘ $1\frac{2}{3}$ $5\frac{4}{9}$ ⊘ $5\frac{1}{2}$ $4\frac{5}{11}$ ⊘ $4\frac{1}{2}$

$2\frac{3}{7}$ ⊘ $3\frac{2}{9}$ ⊘ $3\frac{4}{9}$ $5\frac{1}{6}$ ⊘ $3\frac{3}{8}$ ⊘ $3\frac{3}{9}$

$3\frac{1}{5}$ ⊘ $3\frac{1}{6}$ ⊘ $2\frac{1}{4}$ $4\frac{1}{5}$ ⊘ $4\frac{2}{5}$ ⊘ $4\frac{1}{2}$

응용연산

1 수 카드를 한 번씩 사용하여 만들 수 있는 대분수를 모두 쓰고, 그중 가장 큰 분수에 ○표, 가장 작은 분수에 △표 하세요.

| 2 | 3 | 5 | △$2\frac{3}{5}$ $3\frac{2}{5}$ ○$5\frac{2}{3}$

| 3 | 4 | 7 | △$3\frac{4}{7}$ $4\frac{3}{7}$ ○$7\frac{3}{4}$

| 2 | 9 | 7 | △$2\frac{1}{9}$ $7\frac{2}{9}$ ○$9\frac{2}{7}$

2 □ 안에 들어갈 수 있는 수를 모두 찾아 ○표 하세요.

$3\frac{\square}{8} < 3\frac{7}{8}$ $5\frac{4}{\square} > 5\frac{4}{9}$ $4\frac{1}{6} < \square\frac{5}{6}$

⑤⑥ 7 8 9   ⑦⑧ 9 10 11   1 2 3 ④⑤

$2\frac{2}{7} < \square\frac{4}{7} < 6\frac{4}{5}$ $5\frac{3}{7} < \square\frac{3}{11} < 9\frac{8}{11}$

②③④⑤⑥   5 ⑥⑦⑧⑨

3 다음 분수를 큰 것부터 차례대로 쓰세요.

$3\frac{5}{8}$ $2\frac{1}{8}$ $3\frac{3}{8}$ $2\frac{1}{9}$ $3\frac{5}{7}$ $3\frac{5}{7}, 3\frac{5}{8}, 3\frac{3}{8}, 2\frac{1}{8}, 2\frac{1}{9}$

4 수 카드 4장 중에서 3장을 사용하여 가장 큰 대분수와 가장 작은 대분수를 만드세요.

| 2 | 7 | 8 | 6 | 가장 큰 대분수: $8\frac{6}{7}$ 가장 작은 대분수: $2\frac{6}{8}$

| 3 | 5 | 9 | 1 | 가장 큰 대분수: $9\frac{3}{5}$ 가장 작은 대분수: $1\frac{3}{9}$

5 친구들이 키를 재어 보았더니 형수는 $1\frac{1}{8}$ m, 재호는 $1\frac{2}{6}$ m, 주희는 $1\frac{1}{9}$ m였습니다. 키가 가장 큰 사람과 키가 가장 작은 사람은 누구일까요?

가장 큰 사람: 재호 , 가장 작은 사람: 주희

정답 및 해설 **13**

54·55쪽

283 대분수와 가분수의 크기 비교

대분수와 가분수의 크기를 비교하여 봅시다.

$$\frac{11}{5} \,\boxed{<}\, 2\frac{3}{5} = \boxed{\dfrac{13}{5}}$$

대분수를 가분수로 고친 다음 크기를 비교합니다.

$$6\frac{2}{3} \,\boxed{>}\, \frac{19}{3} = 6\boxed{\dfrac{1}{3}}$$

가분수를 대분수로 고친 다음 크기를 비교합니다.

$$\frac{10}{4} \,\boxed{<}\, 2\frac{3}{4} = \boxed{\dfrac{11}{4}}$$

$$5\frac{1}{2} \,\boxed{>}\, \frac{9}{2} = 4\boxed{\dfrac{1}{2}}$$

$$\frac{20}{9} \,\boxed{<}\, 2\frac{5}{9} = \boxed{\dfrac{23}{9}}$$

$$3\frac{1}{4} \,\boxed{<}\, \frac{15}{4} = 3\boxed{\dfrac{3}{4}}$$

$$\frac{17}{6} \,\boxed{>}\, 2\frac{3}{6} = \boxed{\dfrac{15}{6}}$$

$$2\frac{5}{7} \,\boxed{>}\, \frac{18}{7} = 2\boxed{\dfrac{4}{7}}$$

$$\frac{14}{3} \,\boxed{>}\, 4\frac{1}{3} = \boxed{\dfrac{13}{3}}$$

$$4\frac{3}{8} \,\boxed{<}\, \frac{37}{8} = 4\boxed{\dfrac{5}{8}}$$

$$\frac{11}{6} \,\boxed{=}\, 1\frac{5}{6} \,\boxed{<}\, \frac{13}{6}$$

$$\frac{15}{4} \,\boxed{>}\, 3\frac{1}{4} \,\boxed{>}\, \frac{10}{4}$$

$$3\frac{2}{7} \,\boxed{>}\, \frac{22}{7} \,\boxed{>}\, 2\frac{6}{7}$$

$$6\frac{1}{3} \,\boxed{>}\, \frac{17}{3} \,\boxed{>}\, 5\frac{1}{3}$$

$$\frac{15}{8} \,\boxed{>}\, 1\frac{5}{8} \,\boxed{>}\, \frac{11}{8}$$

$$\frac{21}{9} \,\boxed{=}\, 2\frac{3}{9} \,\boxed{<}\, \frac{19}{8}$$

$$\frac{21}{5} \,\boxed{>}\, 4\frac{1}{6} \,\boxed{>}\, \frac{29}{7}$$

$$\frac{22}{7} \,\boxed{=}\, 3\frac{1}{7} \,\boxed{<}\, \frac{19}{6}$$

$$4\frac{1}{5} \,\boxed{>}\, \frac{18}{5} \,\boxed{>}\, 3\frac{2}{5}$$

$$2\frac{1}{9} \,\boxed{<}\, \frac{19}{8} \,\boxed{<}\, 2\frac{5}{7}$$

$$\frac{11}{2} \,\boxed{<}\, 6\frac{1}{2} \,\boxed{<}\, \frac{15}{2}$$

$$\frac{13}{4} \,\boxed{<}\, 3\frac{3}{4} \,\boxed{<}\, \frac{19}{5}$$

56·57쪽

응용연산

1. ☐안의 분수를 수직선에 ↓로 나타내고 작은 순서대로 분수를 쓰세요

$$\frac{3}{8} \quad 2\frac{5}{8} \quad \frac{9}{8} \quad 1\frac{7}{8} \quad \frac{23}{8}$$

$$\boxed{\frac{3}{8}} < \boxed{\frac{9}{8}} < \boxed{1\frac{7}{8}} < \boxed{2\frac{5}{8}} < \boxed{\frac{23}{8}}$$

2. ☐안에 들어갈 수 있는 수를 모두 쓰세요.

$$1\frac{1}{9} < 1\frac{\square}{9} < 1\frac{8}{9} \qquad 2, 3, 4, 5, 6, 7$$

$$\frac{4}{3} < \square\frac{2}{3} < \frac{19}{3} \qquad 1, 2, 3, 4, 5$$

$$1\frac{2}{7} < \frac{\square}{7} < 2\frac{1}{7} \qquad 10, 11, 12, 13, 14$$

3. 분수의 크기에 대해 잘못 설명한 사람은 누구일까요? **정호**

- 슬기: 가분수는 진분수보다 항상 커.
- 승희: 대분수는 진분수보다 항상 커.
- 정호: 대분수는 가분수보다 항상 커.

4. 수 카드 5장 중에서 2장을 사용하여 가장 큰 가분수를 만들고 나머지 3장으로 가장 작은 대분수를 만든 다음 두 분수의 크기를 비교하세요.

카드: 5 2 4 9 6 → $\dfrac{9}{2} \boxed{<} 4\dfrac{5}{6}$

카드: 2 4 7 5 3 → $\dfrac{7}{2} \boxed{<} 3\dfrac{4}{5}$

카드: 2 5 9 7 3 → $\dfrac{9}{2} \boxed{>} 3\dfrac{5}{7}$

5. 지영이는 동화책을 $1\frac{1}{6}$ 시간, 회영이는 $\frac{6}{5}$ 시간, 소희는 $1\frac{1}{8}$ 시간 읽었습니다. 동화책을 읽은 시간이 가장 짧은 사람은 누구일까요? **소희**

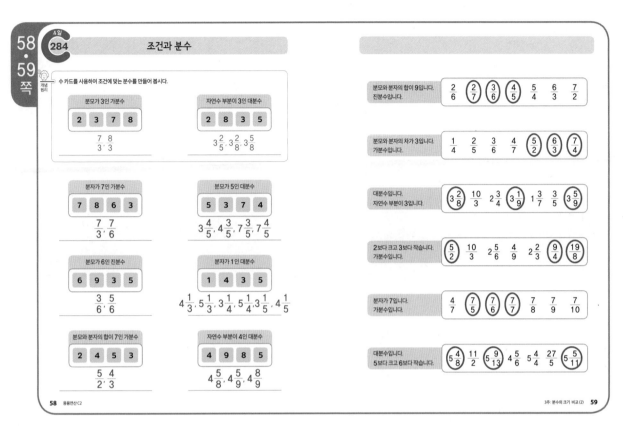

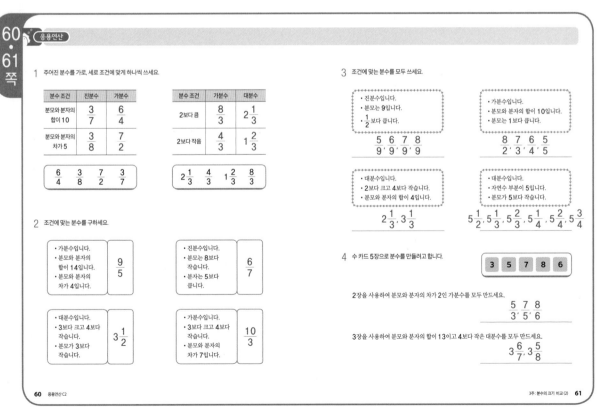

62·63쪽 5일 형성평가

1 두 분수의 크기를 비교하여 더 큰 분수를 □안에 쓰세요.

$$\frac{10}{3}$$
$$\frac{10}{7} \qquad \frac{10}{3}$$
$$\frac{9}{7} \quad \frac{10}{7} \quad \frac{10}{8} \quad \frac{10}{3}$$

$$\frac{9}{4}$$
$$\frac{9}{4} \qquad \frac{9}{5}$$
$$\frac{9}{6} \quad \frac{9}{4} \quad \frac{9}{5} \quad \frac{7}{5}$$

2 다음 분수를 큰 것부터 차례대로 적으세요.

$$\frac{13}{4} \quad \frac{9}{7} \quad \frac{9}{4} \quad \frac{8}{7} \quad \frac{13}{3}$$
$$\frac{13}{3}, \frac{13}{4}, \frac{9}{4}, \frac{9}{7}, \frac{8}{7}$$

$$\frac{15}{9} \quad \frac{20}{9} \quad \frac{22}{7} \quad \frac{20}{7} \quad \frac{15}{11}$$
$$\frac{22}{7}, \frac{20}{7}, \frac{20}{9}, \frac{15}{9}, \frac{15}{11}$$

3 분수의 크기를 비교하여 ○안에 >, <를 쓰세요.

$$6\frac{3}{5} \;\left(>\right)\; 6\frac{1}{2} \qquad 3\frac{5}{8} \;\left(<\right)\; 3\frac{5}{6} \qquad 5\frac{1}{2} \;\left(<\right)\; 5\frac{7}{13}$$

$$4\frac{5}{7} \;\left(<\right)\; 4\frac{5}{6} \;\left(<\right)\; 5\frac{2}{6} \qquad 8\frac{2}{4} \;\left(>\right)\; 8\frac{2}{5} \;\left(>\right)\; 7\frac{4}{5}$$

4 수 카드 4장 중에서 3장을 사용하여 가장 큰 대분수와 가장 작은 대분수를 각각 만드세요.

[5] [2] [8] [7]   가장 큰 대분수: $8\frac{5}{7}$ 가장 작은 대분수: $2\frac{5}{8}$

[4] [7] [3] [6]   가장 큰 대분수: $7\frac{3}{4}$ 가장 작은 대분수: $3\frac{4}{7}$

5 대분수와 가분수의 크기를 비교하여 보세요.

$$\frac{23}{6} \;\left(>\right)\; 3\frac{2}{7} = \frac{23}{7} \qquad 4\frac{3}{8} \;\left(<\right)\; \frac{37}{8} = 4\frac{5}{8}$$

$$\frac{22}{4} \;\left(<\right)\; 5\frac{3}{4} = \frac{23}{4} \qquad 2\frac{9}{11} \;\left(>\right)\; \frac{30}{11} = 2\frac{8}{11}$$

6 조건에 맞는 분수를 구하세요.

> • 가분수입니다.
> • 3보다 크고 4보다 작습니다.
> • 분모와 분자의 차가 9입니다.

$$\frac{13}{4}$$

64쪽

7 □안에 들어갈 수 있는 수를 모두 쓰세요.

$$2\frac{2}{7} < \frac{\square}{7} < 2\frac{6}{7}$$ 17, 18, 19

$$\frac{7}{4} < \square\frac{1}{4} < \frac{25}{4}$$ 2, 3, 4, 5

$$3\frac{5}{9} < \frac{\square}{9} < 4\frac{2}{9}$$ 33, 34, 35, 36, 37

8 과자를 예은이는 $2\frac{3}{7}$ 봉지, 호진이는 $\frac{15}{6}$ 봉지, 규원이는 $2\frac{5}{6}$ 봉지 먹었습니다. 과자를 가장 많이 먹은 사람은 누구일까요?

규원

16 응용연산 C2

분수의 덧셈과 뺄셈

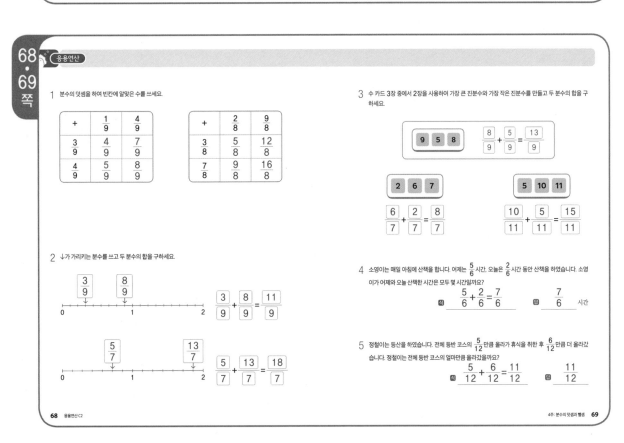

1일 285

분수의 덧셈

분모가 같은 분수의 덧셈을 알아봅시다.

$\dfrac{2}{8}+\dfrac{5}{8}=\dfrac{2+5}{8}=\dfrac{7}{8}$

$\dfrac{2}{8}$ $\dfrac{5}{8}$ $\boxed{\dfrac{7}{8}}$

$\dfrac{2}{8}$는 $\dfrac{1}{8}$이 2개, $\dfrac{5}{8}$는 $\dfrac{1}{8}$이 5개입니다. $\dfrac{2}{8}+\dfrac{5}{8}$는 $\dfrac{1}{8}$이 7개이므로 $\dfrac{7}{8}$입니다.

$\dfrac{2}{6}+\dfrac{3}{6}=\dfrac{2+3}{6}=\dfrac{5}{6}$

$\dfrac{2}{6}$ $\dfrac{3}{6}$ $\boxed{\dfrac{5}{6}}$

$\dfrac{5}{10}+\dfrac{2}{10}=\dfrac{5+2}{10}=\dfrac{7}{10}$

$\dfrac{5}{10}$ $\dfrac{2}{10}$ $\boxed{\dfrac{7}{10}}$

$\dfrac{3}{9}+\dfrac{4}{9}=\dfrac{3+4}{9}=\dfrac{7}{9}$

$\dfrac{3}{9}$ $\dfrac{4}{9}$ $\boxed{\dfrac{7}{9}}$

$\dfrac{5}{7}+\dfrac{3}{7}=\dfrac{5+3}{7}=\dfrac{8}{7}$

$\dfrac{4}{7}+\dfrac{6}{7}=\dfrac{4+6}{7}=\dfrac{10}{7}$

$\dfrac{2}{5}+\dfrac{3}{5}=\dfrac{2+3}{5}=\dfrac{5}{5}$

$\dfrac{3}{9}+\dfrac{2}{9}=\dfrac{3+2}{9}=\dfrac{5}{9}$

$\dfrac{7}{8}+\dfrac{6}{8}=\dfrac{7+6}{8}=\dfrac{13}{8}$

$\dfrac{7}{6}+\dfrac{8}{6}=\dfrac{7+8}{6}=\dfrac{15}{6}$

$\dfrac{1}{5}+\dfrac{3}{5}=\dfrac{4}{5}$

$\dfrac{2}{3}+\dfrac{2}{3}=\dfrac{4}{3}$

$\dfrac{3}{4}+\dfrac{6}{4}=\dfrac{9}{4}$

$\dfrac{6}{7}+\dfrac{8}{7}=\dfrac{14}{7}$

$\dfrac{8}{5}+\dfrac{3}{5}=\dfrac{11}{5}$

$\dfrac{5}{6}+\dfrac{8}{6}=\dfrac{13}{6}$

$\dfrac{2}{10}+\dfrac{7}{10}=\dfrac{9}{10}$

$\dfrac{8}{12}+\dfrac{9}{12}=\dfrac{17}{12}$

$\dfrac{14}{15}+\dfrac{17}{15}=\dfrac{31}{15}$

응용연산

1 분수의 덧셈을 하여 빈칸에 알맞은 수를 쓰세요.

+	$\dfrac{1}{9}$	$\dfrac{4}{9}$
$\dfrac{3}{9}$	$\dfrac{4}{9}$	$\dfrac{7}{9}$
$\dfrac{4}{9}$	$\dfrac{5}{9}$	$\dfrac{8}{9}$

+	$\dfrac{2}{8}$	$\dfrac{9}{8}$
$\dfrac{3}{8}$	$\dfrac{5}{8}$	$\dfrac{12}{8}$
$\dfrac{7}{8}$	$\dfrac{9}{8}$	$\dfrac{16}{8}$

2 ↓가 가리키는 분수를 쓰고 두 분수의 합을 구하세요.

$\dfrac{3}{9}$ $\dfrac{8}{9}$

0 —— 1 —— 2

$\dfrac{3}{9}+\dfrac{8}{9}=\dfrac{11}{9}$

$\dfrac{5}{7}$ $\dfrac{13}{7}$

0 —— 1 —— 2

$\dfrac{5}{7}+\dfrac{13}{7}=\dfrac{18}{7}$

3 수 카드 3장 중에서 2장을 사용하여 가장 큰 진분수와 가장 작은 진분수를 만들고 두 분수의 합을 구하세요.

9 5 8 $\dfrac{8}{9}+\dfrac{5}{9}=\dfrac{13}{9}$

2 6 7

$\dfrac{6}{7}+\dfrac{2}{7}=\dfrac{8}{7}$

5 10 11

$\dfrac{10}{11}+\dfrac{5}{11}=\dfrac{15}{11}$

4 소영이는 매일 아침에 산책을 합니다. 어제는 $\dfrac{5}{6}$ 시간, 오늘은 $\dfrac{2}{6}$ 시간 동안 산책을 하였습니다. 소영이가 어제와 오늘 산책한 시간은 모두 몇 시간일까요?

식 $\dfrac{5}{6}+\dfrac{2}{6}=\dfrac{7}{6}$ 답 $\dfrac{7}{6}$ 시간

5 정철이는 등산을 하였습니다. 전체 등반 코스의 $\dfrac{5}{12}$ 만큼 올라가 휴식을 취한 후 $\dfrac{6}{12}$ 만큼 더 올라갔습니다. 정철이는 전체 등반 코스의 얼마만큼 올라갔을까요?

식 $\dfrac{5}{12}+\dfrac{6}{12}=\dfrac{11}{12}$ 답 $\dfrac{11}{12}$

70·71쪽

 286 분수의 뺄셈

분모가 같은 분수의 뺄셈을 알아봅시다.

 →

$\dfrac{9}{6} - \dfrac{4}{6} = \dfrac{\boxed{9} - \boxed{4}}{6} = \dfrac{\boxed{5}}{6}$

$\dfrac{9}{6}$ 는 $\dfrac{1}{6}$ 이 9개, $\dfrac{4}{6}$ 는 $\dfrac{1}{6}$ 이 4개입니다. $\dfrac{9}{6} - \dfrac{4}{6}$ 는 $\dfrac{1}{6}$ 이 5개이므로 $\dfrac{5}{6}$ 입니다.

 →

$\dfrac{6}{7} - \dfrac{3}{7} = \dfrac{\boxed{6} - \boxed{3}}{7} = \dfrac{\boxed{3}}{7}$

$\dfrac{7}{8} - \dfrac{2}{8} = \dfrac{\boxed{7} - \boxed{2}}{8} = \dfrac{\boxed{5}}{8}$

 →

$\dfrac{8}{5} - \dfrac{4}{5} = \dfrac{\boxed{8} - \boxed{4}}{5} = \dfrac{\boxed{4}}{5}$

$\dfrac{15}{9} - \dfrac{7}{9} = \dfrac{\boxed{15} - \boxed{7}}{9} = \dfrac{\boxed{8}}{9}$

$\dfrac{2}{3} - \dfrac{1}{3} = \dfrac{\boxed{2} - \boxed{1}}{3} = \dfrac{\boxed{1}}{3}$

$\dfrac{9}{8} - \dfrac{4}{8} = \dfrac{\boxed{9} - \boxed{4}}{8} = \dfrac{\boxed{5}}{8}$

$\dfrac{11}{7} - \dfrac{5}{7} = \dfrac{\boxed{11} - \boxed{5}}{7} = \dfrac{\boxed{6}}{7}$

$\dfrac{13}{6} - \dfrac{2}{6} = \dfrac{\boxed{13} - \boxed{2}}{6} = \dfrac{\boxed{11}}{6}$

$\dfrac{13}{11} - \dfrac{9}{11} = \dfrac{\boxed{13} - \boxed{9}}{11} = \dfrac{\boxed{4}}{11}$

$\dfrac{21}{15} - \dfrac{8}{15} = \dfrac{\boxed{21} - \boxed{8}}{15} = \dfrac{\boxed{13}}{15}$

$\dfrac{4}{5} - \dfrac{2}{5} = \dfrac{2}{5}$

$\dfrac{11}{8} - \dfrac{4}{8} = \dfrac{7}{8}$

$\dfrac{15}{2} - \dfrac{10}{2} = \dfrac{5}{2}$

$\dfrac{17}{9} - \dfrac{12}{9} = \dfrac{5}{9}$

$\dfrac{21}{10} - \dfrac{2}{10} = \dfrac{19}{10}$

$\dfrac{11}{7} - \dfrac{9}{7} = \dfrac{2}{7}$

$\dfrac{17}{6} - \dfrac{16}{6} = \dfrac{1}{6}$

$\dfrac{13}{3} - \dfrac{8}{3} = \dfrac{5}{3}$

$\dfrac{21}{4} - \dfrac{18}{4} = \dfrac{3}{4}$

72·73쪽

응용연산

1 분수의 뺄셈을 하여 빈칸에 알맞은 수를 쓰세요.

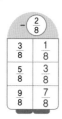

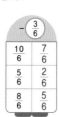

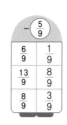

2 수직선의 빈칸에 알맞은 분수를 쓰고 분수의 뺄셈을 하세요.

$\dfrac{8}{9}$

0 ····· $\dfrac{\boxed{4}}{9}$ ···· $\dfrac{4}{9}$ ···· 1

$\dfrac{8}{9} - \dfrac{4}{9} = \dfrac{\boxed{4}}{9}$

$\dfrac{12}{7}$

0 ····· $\dfrac{\boxed{7}}{7}$ ···· $\dfrac{5}{7}$ ···· 2

$\dfrac{12}{7} - \dfrac{5}{7} = \dfrac{\boxed{7}}{7}$

3 □ 안에 알맞은 수를 쓰세요.

$\dfrac{8}{7}$ 은 $\dfrac{1}{7}$ 이 $\boxed{8}$ 개, $\dfrac{4}{7}$ 은 $\dfrac{1}{7}$ 이 $\boxed{4}$ 개

$\dfrac{8}{7} - \dfrac{4}{7}$ 는 $\dfrac{1}{7}$ 이 $\boxed{4}$ 개이므로 ➡ $\dfrac{8}{7} - \dfrac{4}{7} = \dfrac{\boxed{4}}{7}$

4 수 카드 4장 중에서 2장을 사용하여 분모가 7인 가장 큰 가분수와 가장 작은 가분수를 만들고 두 분수의 차를 구하세요.

8   15   7   4

$\dfrac{\boxed{15}}{7} - \dfrac{\boxed{8}}{7} = \dfrac{\boxed{7}}{7}$

5 동화책을 수희는 $\dfrac{9}{6}$ 시간 동안 읽었고, 정호는 $\dfrac{4}{6}$ 시간 동안 읽었습니다. 수희는 정호보다 몇 시간 더 읽었을까요?

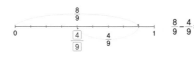 식 $\dfrac{9}{6} - \dfrac{4}{6} = \dfrac{5}{6}$

답 $\dfrac{5}{6}$ 시간

6 사과나무의 높이는 $\dfrac{15}{8}$ m이고, 감나무의 높이는 $\dfrac{25}{8}$ m입니다. 감나무는 사과나무보다 얼마나 더 높을까요?

 식 $\dfrac{25}{8} - \dfrac{15}{8} = \dfrac{10}{8}$

답 $\dfrac{10}{8}$ m

3일
287
C

분수의 덧셈과 뺄셈

개념원리 ▸ 두 분수의 덧셈과 뺄셈을 하고 그 결과를 대분수로 나타내어 봅시다.

$$\frac{5}{6}+\frac{2}{6}=\frac{5+2}{6}=\frac{7}{6}$$
$$=1\frac{1}{6}$$

$$\frac{15}{4}-\frac{8}{4}=\frac{15-8}{4}=\frac{7}{4}$$
$$=1\frac{3}{4}$$

$$\frac{8}{5}+\frac{6}{5}=\frac{8+6}{5}=\frac{14}{5}$$
$$=2\frac{4}{5}$$

$$\frac{15}{7}-\frac{2}{7}=\frac{15-2}{7}=\frac{13}{7}$$
$$=1\frac{6}{7}$$

$$\frac{3}{8}+\frac{10}{8}=\frac{3+10}{8}=\frac{13}{8}$$
$$=1\frac{5}{8}$$

$$\frac{17}{9}-\frac{1}{9}=\frac{17-1}{9}=\frac{16}{9}$$
$$=1\frac{7}{9}$$

$$\frac{11}{10}+\frac{13}{10}=\frac{11+13}{10}=\frac{24}{10}$$
$$=2\frac{4}{10}$$

$$\frac{31}{11}-\frac{19}{11}=\frac{31-19}{11}=\frac{12}{11}$$
$$=1\frac{1}{11}$$

두 분수의 계산 결과를 대분수로 나타내세요.

$$\frac{3}{4}+\frac{2}{4}=\frac{5}{4}=1\frac{1}{4}$$

$$\frac{14}{10}+\frac{17}{10}=\frac{31}{10}=3\frac{1}{10}$$

$$\frac{21}{6}-\frac{2}{6}=\frac{19}{6}=3\frac{1}{6}$$

$$\frac{23}{9}+\frac{14}{9}=\frac{37}{9}=4\frac{1}{9}$$

$$\frac{32}{5}-\frac{13}{5}=\frac{19}{5}=3\frac{4}{5}$$

$$\frac{3}{7}+\frac{22}{7}=\frac{25}{7}=3\frac{4}{7}$$

$$\frac{33}{8}-\frac{14}{8}=\frac{19}{8}=2\frac{3}{8}$$

$$\frac{23}{11}+\frac{31}{11}$$
$$=\frac{54}{11}=4\frac{10}{11}$$

$$\frac{23}{6}-\frac{8}{6}=\frac{15}{6}=2\frac{3}{6}$$

$$\frac{12}{11}+\frac{13}{11}=\frac{25}{11}=2\frac{3}{11}$$

$$\frac{25}{4}-\frac{6}{4}$$
$$=\frac{19}{4}=4\frac{3}{4}$$

$$\frac{26}{5}+\frac{16}{5}=\frac{42}{5}=8\frac{2}{5}$$

$$\frac{17}{9}-\frac{3}{9}=\frac{14}{9}=1\frac{5}{9}$$

$$\frac{15}{7}+\frac{15}{7}$$
$$=\frac{30}{7}=4\frac{2}{7}$$

응용연산

1 빈칸에 알맞은 분수를 쓰세요.

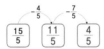

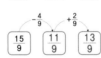

2 다음과 같이 두 분수의 합과 차를 구하세요. 단, 계산 결과가 가분수이면 대분수로 나타내세요.

$\frac{7}{9}$ $\frac{6}{9}$

합: $\frac{7}{9}+\frac{6}{9}=\frac{13}{9}=1\frac{4}{9}$

차: $\frac{7}{9}-\frac{6}{9}=\frac{1}{9}$

$\frac{6}{5}$ $\frac{3}{5}$

합: $\frac{6}{5}+\frac{3}{5}=\frac{9}{5}=1\frac{4}{5}$

차: $\frac{6}{5}-\frac{3}{5}=\frac{3}{5}$

$\frac{5}{7}$ $\frac{15}{7}$

합: $\frac{5}{7}+\frac{15}{7}=\frac{20}{7}=2\frac{6}{7}$

차: $\frac{15}{7}-\frac{5}{7}=\frac{10}{7}=1\frac{3}{7}$

3 두 분수를 각각 구하세요.

- 두 분수는 모두 분모가 11입니다.
- 분자의 합은 11이고, 분자의 차는 3입니다.

$\frac{4}{11}$ $\frac{7}{11}$

- 두 분수의 차는 $\frac{5}{9}$이고,
  합은 $\frac{11}{9}$입니다.

$\frac{3}{9}$ $\frac{8}{9}$

4 수 카드 3장 중에서 2장을 사용하여 만들 수 있는 가장 큰 진분수와 가장 작은 진분수의 합과 차를 구하세요. 단, 계산 결과가 가분수이면 대분수로 나타내세요.

3 **9** **8**

두 분수의 합: $1\frac{2}{9}$

두 분수의 차: $\frac{5}{9}$

5 길이가 각각 $\frac{15}{7}$ m와 $\frac{2}{7}$ m인 색 테이프 2장이 있습니다.

두 색 테이프의 길이의 합을 대분수로 나타내세요.

식 $\frac{15}{7}+\frac{2}{7}=\frac{17}{7}=2\frac{3}{7}$

답 $2\frac{3}{7}$ m

두 색 테이프의 길이의 차를 대분수로 나타내세요.

식 $\frac{15}{7}-\frac{2}{7}=\frac{13}{7}=1\frac{6}{7}$

답 $1\frac{6}{7}$ m

288 □가 있는 분수의 덧셈과 뺄셈

개념원리

□가 있는 분수의 덧셈과 뺄셈을 알아봅시다.

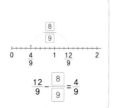

$$\frac{3}{5} + \frac{\boxed{6}}{5} = \frac{9}{5}$$ $$\frac{12}{9} - \frac{\boxed{8}}{9} = \frac{4}{9}$$

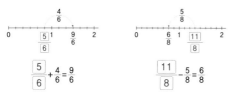

$$\frac{\boxed{5}}{6} + \frac{4}{6} = \frac{9}{6}$$ $$\frac{\boxed{11}}{8} - \frac{5}{8} = \frac{6}{8}$$

$$\frac{3}{7} + \frac{\boxed{8}}{7} = \frac{11}{7}$$ $$\frac{17}{10} - \frac{\boxed{9}}{10} = \frac{8}{10}$$

$$\frac{3}{6} + \frac{\boxed{8}}{6} = \frac{11}{6}$$ $$\frac{\boxed{3}}{3} + \frac{5}{3} = \frac{8}{3}$$ $$\frac{9}{7} + \frac{\boxed{7}}{7} = \frac{16}{7}$$

$$\frac{\boxed{14}}{5} - \frac{6}{5} = \frac{8}{5}$$ $$\frac{21}{4} - \frac{\boxed{18}}{4} = \frac{3}{4}$$ $$\frac{\boxed{41}}{9} - \frac{15}{9} = \frac{26}{9}$$

$$\frac{\boxed{8}}{8} + \frac{5}{8} = \frac{13}{8}$$ $$\frac{6}{5} + \frac{\boxed{6}}{5} = \frac{12}{5}$$ $$\frac{\boxed{9}}{10} + \frac{3}{10} = \frac{12}{10}$$

$$\frac{9}{11} - \frac{\boxed{7}}{11} = \frac{2}{11}$$ $$\frac{\boxed{11}}{7} - \frac{5}{7} = \frac{6}{7}$$ $$\frac{23}{12} - \frac{\boxed{5}}{12} = \frac{18}{12}$$

$$\frac{7}{3} + \frac{\boxed{7}}{3} = \frac{14}{3}$$ $$\frac{\boxed{11}}{5} + \frac{6}{5} = \frac{17}{5}$$ $$\frac{10}{8} + \frac{\boxed{7}}{8} = \frac{17}{8}$$

$$\frac{\boxed{23}}{9} - \frac{3}{9} = \frac{20}{9}$$ $$\frac{23}{13} - \frac{\boxed{12}}{13} = \frac{11}{13}$$ $$\frac{\boxed{31}}{7} - \frac{10}{7} = \frac{21}{7}$$

응용연산

1 분수의 덧셈과 뺄셈을 하여 빈칸에 알맞은 수를 쓰세요. (단, 뺄셈은 왼쪽 수에서 위쪽 수를 뺍니다.)

+	$\frac{2}{9}$	$\frac{3}{9}$
$\frac{5}{9}$	$\frac{7}{9}$	$\frac{8}{9}$
$\frac{8}{9}$	$\frac{10}{9}$	$\frac{11}{9}$

−	$\frac{2}{7}$	$\frac{5}{7}$
$\frac{6}{7}$	$\frac{4}{7}$	$\frac{1}{7}$
$\frac{16}{7}$	$\frac{14}{7}$	$\frac{11}{7}$

−	$\frac{3}{8}$	$\frac{4}{8}$
$\frac{6}{8}$	$\frac{3}{8}$	$\frac{2}{8}$
$\frac{11}{8}$	$\frac{8}{8}$	$\frac{7}{8}$

+	$\frac{8}{6}$	$\frac{4}{6}$
$\frac{7}{6}$	$\frac{15}{6}$	$\frac{11}{6}$
$\frac{5}{6}$	$\frac{13}{6}$	$\frac{9}{6}$

2 □안에 들어갈 수 있는 수를 모두 찾아 ○표 하세요.

$$\frac{\boxed{}}{8} + \frac{5}{8} < \frac{12}{8}$$

⑤ ⑥ 7 8 9

$$\frac{9}{11} + \frac{\boxed{}}{11} > \frac{21}{11}$$

10 11 12 ⑬ ⑭

$$\frac{15}{7} - \frac{\boxed{}}{7} < \frac{7}{7}$$

6 7 8 ⑨ ⑩

$$\frac{17}{12} - \frac{\boxed{}}{12} > \frac{8}{12}$$

⑦ ⑧ 9 10 11

3 다음 덧셈의 계산 결과가 진분수일 때 □안에 들어갈 수 있는 수를 모두 쓰세요.

$$\frac{\boxed{}}{13} + \frac{7}{13}$$

_____ 1, 2, 3, 4, 5

4 $\frac{7}{11}$에 어떤 수를 더했더니 $\frac{12}{11}$가 되었습니다. 어떤 수를 □라고 하여 식을 세우고 어떤 수를 구하세요.

식 $\frac{7}{11} + \boxed{} = \frac{12}{11}$ 답 $\frac{5}{11}$

$$\boxed{} = \frac{12}{11} - \frac{7}{11} = \frac{5}{11}$$

5 어떤 수에 $\frac{2}{11}$를 더해야 할 것을 잘못하여 뺐더니 $\frac{10}{11}$이 되었습니다. 바르게 계산하면 얼마일까요?

잘못된 식: 식 $\boxed{} - \frac{2}{11} = \frac{10}{11}$ 어떤 수: $\frac{12}{11}$

$$\boxed{} = \frac{10}{11} + \frac{2}{11} = \frac{12}{11}$$

바르게 계산하기: 식 $\frac{12}{11} + \frac{2}{11} = \frac{14}{11}$ 답 $\frac{14}{11}$

6 대현이가 컵의 $\frac{4}{5}$만큼 남아 있는 우유에서 얼마를 마셨더니 $\frac{1}{5}$만큼 남았습니다. 대현이가 마신 우유는 컵의 몇 분의 몇일까요?

식 $\frac{4}{5} - \boxed{} = \frac{1}{5}$ 답 $\frac{3}{5}$

$$\boxed{} = \frac{4}{5} - \frac{1}{5} = \frac{3}{5}$$

형성평가

1 분수의 덧셈을 하세요.

$$\frac{5}{8}+\frac{7}{8}=\frac{12}{8} \qquad \frac{8}{9}+\frac{11}{9}=\frac{19}{9} \qquad \frac{10}{7}+\frac{1}{7}=\frac{11}{7}$$

$$\frac{7}{17}+\frac{9}{17}=\frac{16}{17} \qquad \frac{11}{14}+\frac{5}{14}=\frac{16}{14} \qquad \frac{18}{16}+\frac{13}{16}=\frac{31}{16}$$

2 윤수는 책의 $\frac{7}{9}$ 을, 서희는 같은 책의 $\frac{8}{9}$ 을 읽었습니다. 윤수와 서희가 읽은 책의 양은 모두 얼마일까요?

식 $\dfrac{7}{9}+\dfrac{8}{9}=\dfrac{15}{9}$ 답 $\dfrac{15}{9}$

3 분수를 뺄셈을 하여 빈칸에 알맞은 수를 쓰세요.

$-\frac{3}{10}$	
$\frac{5}{10}$	$\frac{2}{10}$
$\frac{11}{10}$	$\frac{8}{10}$
$\frac{7}{10}$	$\frac{4}{10}$

$-\frac{7}{9}$	
$\frac{15}{9}$	$\frac{8}{9}$
$\frac{8}{9}$	$\frac{1}{9}$
$\frac{12}{9}$	$\frac{5}{9}$

$-\frac{3}{6}$	
$\frac{7}{6}$	$\frac{4}{6}$
$\frac{5}{6}$	$\frac{2}{6}$
$\frac{10}{6}$	$\frac{7}{6}$

4 □ 안에 알맞은 수를 쓰세요.

$\frac{13}{8}$ 은 $\frac{1}{8}$ 이 $\boxed{13}$ 개, $\frac{7}{8}$ 은 $\frac{1}{8}$ 이 $\boxed{7}$ 개

$\frac{13}{8}-\frac{7}{8}$ 은 $\frac{1}{8}$ 이 $\boxed{6}$ 개이므로

⇒ $\dfrac{13}{8}-\dfrac{7}{8}=\dfrac{\boxed{6}}{8}$

5 빈칸에 알맞은 분수를 쓰세요.

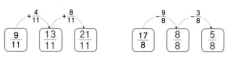

$\frac{9}{11} \xrightarrow{+\frac{4}{11}} \frac{13}{11} \xrightarrow{+\frac{8}{11}} \frac{21}{11}$

$\frac{17}{8} \xrightarrow{-\frac{9}{8}} \frac{8}{8} \xrightarrow{-\frac{3}{8}} \frac{5}{8}$

$\frac{5}{9} \xrightarrow{+\frac{17}{9}} \frac{22}{9} \xrightarrow{-\frac{5}{9}} \frac{17}{9}$

$\frac{23}{10} \xrightarrow{-\frac{8}{10}} \frac{15}{10} \xrightarrow{+\frac{4}{10}} \frac{19}{10}$

---

6 지윤이는 물을 $\frac{5}{9}$ 컵, 효빈이는 $\frac{17}{9}$ 컵 가지고 있습니다.

지윤이와 효빈이가 가진 물의 양의 합을 대분수로 나타내세요.

식 $\dfrac{5}{9}+\dfrac{17}{9}=\dfrac{22}{9}$ 답 $2\dfrac{4}{9}$ 컵

지윤이와 효빈이가 가진 물의 양의 차를 대분수로 나타내세요.

식 $\dfrac{17}{9}-\dfrac{5}{9}=\dfrac{12}{9}$ 답 $1\dfrac{3}{9}$ 컵

7 □가 있는 분수의 덧셈과 뺄셈을 하세요.

$$\frac{8}{5}+\frac{\boxed{4}}{5}=\frac{12}{5} \qquad \frac{\boxed{4}}{8}+\frac{17}{8}=\frac{21}{8} \qquad \frac{7}{12}+\frac{\boxed{8}}{12}=\frac{15}{12}$$

$$\frac{\boxed{23}}{7}-\frac{8}{7}=\frac{15}{7} \qquad \frac{32}{11}-\frac{\boxed{16}}{11}=\frac{16}{11} \qquad \frac{\boxed{32}}{9}-\frac{13}{9}=\frac{19}{9}$$

8 어떤 수에서 $\frac{6}{7}$ 을 빼야할 것을 잘못하여 더했더니 $\frac{25}{7}$ 가 되었습니다. 바르게 계산하면 얼마일까요?

잘못된 식 : 식 $\Box+\dfrac{6}{7}=\dfrac{25}{7}$ 어떤 수 : $\dfrac{19}{7}$

$\Box=\dfrac{25}{7}-\dfrac{6}{7}=\dfrac{19}{7}$

바르게 계산하기 : 식 $\dfrac{19}{7}-\dfrac{6}{7}=\dfrac{13}{7}$ 답 $\dfrac{13}{7}$

66

Numbers rule the universe.

99

"수가 우주를 지배한다"

Pythagoras, 피타고라스

응용연산의 구성과 특징

- 매일 부담없이 4쪽씩 연산 학습
- 매주 4일간 단계별 연산 학습과 응용 문제를 통한 연산 실력 확인
- 매주 1일 형성평가로 테스트 및 복습

주차별 구성

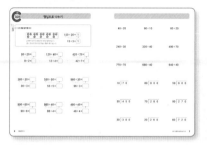

원리연산
대표 문제를 통해 학습하는 매일 새로운 단계별 연산 학습

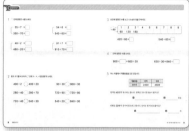

응용연산
기본 문제와 응용 문제를 통한 응용력과 문제해결력 증진

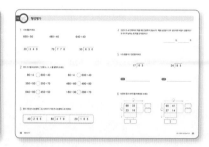

형성평가
가장 중요한 유형을 다시 한번 복습하며 주차 학습 마무리

1주차	1일	2일	3일	4일	5일
	6쪽 ~ 9쪽	10쪽 ~ 13쪽	14쪽 ~ 17쪽	18쪽 ~21쪽	22쪽 ~ 24쪽

2주차	1일	2일	3일	4일	5일
	26쪽 ~ 29쪽	30쪽 ~ 33쪽	34쪽 ~ 37쪽	38쪽 ~41쪽	42쪽 ~ 44쪽

3주차	1일	2일	3일	4일	5일
	46쪽 ~ 49쪽	50쪽 ~ 53쪽	54쪽 ~ 57쪽	58쪽 ~61쪽	62쪽 ~ 64쪽

4주차	1일	2일	3일	4일	5일
	66쪽 ~ 69쪽	70쪽 ~ 73쪽	74쪽 ~ 77쪽	78쪽 ~81쪽	82쪽 ~ 84쪽

정답 및 해설

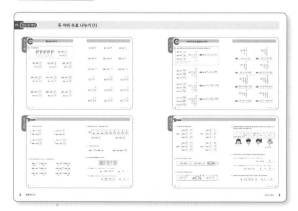

문제와 답을 한눈에 볼 수 있습니다.

이 책의 차례

1주차

두 자리 수로 나누기 (1)

나누는 수가 두 자리 수인 나눗셈

몇십으로 나누기

개념
원리

나눗셈을 알아봅시다.

$$150 \div 30 = \boxed{5}$$

$$15 \div 3 = \boxed{5}$$

십원짜리 동전 15개를 3개씩 묶으면 5묶음입니다.
15÷3의 몫은 5이므로 150÷30의 몫은 5입니다.

$$80 \div 20 = \boxed{}$$

$$8 \div 2 = \boxed{}$$

$$120 \div 40 = \boxed{}$$

$$12 \div 4 = \boxed{}$$

$$420 \div 70 = \boxed{}$$

$$42 \div 7 = \boxed{}$$

$$360 \div 30 = \boxed{}$$

$$36 \div 3 = \boxed{}$$

$$550 \div 50 = \boxed{}$$

$$55 \div 5 = \boxed{}$$

$$960 \div 30 = \boxed{}$$

$$96 \div 3 = \boxed{}$$

$$900 \div 60 = \boxed{}$$

$$90 \div 6 = \boxed{}$$

$$880 \div 40 = \boxed{}$$

$$88 \div 4 = \boxed{}$$

$$480 \div 40 = \boxed{}$$

$$48 \div 4 = \boxed{}$$

$40 \div 20$

$90 \div 10$

$60 \div 20$

$240 \div 30$

$320 \div 40$

$490 \div 70$

$770 \div 70$

$680 \div 40$

$640 \div 40$

$10 \overline{)70}$

$80 \overline{)800}$

$50 \overline{)600}$

$50 \overline{)450}$

$70 \overline{)280}$

$90 \overline{)270}$

$30 \overline{)390}$

$20 \overline{)260}$

$60 \overline{)720}$

1 □ 안에 알맞은 수를 쓰세요.

$35 \div 7 = \boxed{}$

$350 \div 70 = \boxed{}$

$54 \div 6 = \boxed{}$

$540 \div 60 = \boxed{}$

$48 \div 2 = \boxed{}$

$480 \div 20 = \boxed{}$

$91 \div 7 = \boxed{}$

$910 \div 70 = \boxed{}$

2 몫의 크기를 비교하여 ◯ 안에 >, =, <를 알맞게 쓰세요.

$400 \div 2 \bigcirc 400 \div 20$

$90 \div 30 \bigcirc 900 \div 30$

$280 \div 40 \bigcirc 280 \div 70$

$720 \div 90 \bigcirc 720 \div 80$

$720 \div 40 \bigcirc 540 \div 30$

$540 \div 20 \bigcirc 840 \div 30$

3 빈칸에 알맞은 수를 쓰고, 나눗셈의 몫을 구하세요.

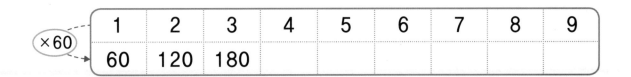

×60	1	2	3	4	5	6	7	8	9
	60	120	180						

$420 \div 60 =$ ☐ $540 \div 60 =$ ☐

4 ☐ 안에 알맞은 수를 쓰세요.

$900 \div$ ☐ $= 600 \div 20$ $630 \div 30 = 840 \div$ ☐

5 어느 마을에서 재활용품을 모은 것입니다.

재활용품	헌책	빈병
모은 양	240권	450병

헌책을 40권씩 묶으려고 합니다. 헌책은 모두 몇 묶음이 될까요?

식 _____   답 _____ 묶음

빈병을 30병씩 상자에 담으려고 합니다. 상자는 몇 개 필요할까요?

식 _____   답 _____ 개

나머지가 있는 몇십으로 나누기

개념
원리

곱셈을 이용하여 나눗셈의 몫을 어림하는 방법으로 나눗셈을 계산해 보고 검산하여 봅시다.

$20 \times 7 =$ 140

$20 \times 8 =$ 160

$20 \times 9 =$ 180

$20 \times 8 = 160$이므로 $163 \div 20$의 몫은
8쯤일 것이라 어림하여 계산합니다.

```
        8
20 ) 1 6 3
     1 6 0
        3
```

검산 $20 \times$ 8 $+$ 3 $=$ 163

$30 \times 5 =$ ☐

$30 \times 6 =$ ☐

$30 \times 7 =$ ☐

```
       ☐
30 ) 1 8 5
     ☐
       ☐
```

검산 $30 \times$ ☐ $+$ ☐ $=$ ☐

$40 \times 3 =$ ☐

$40 \times 4 =$ ☐

$40 \times 5 =$ ☐

```
       ☐
40 ) 1 7 8
     ☐
       ☐
```

검산 $40 \times$ ☐ $+$ ☐ $=$ ☐

$70 \times 7 =$ ☐

$70 \times 8 =$ ☐

$70 \times 9 =$ ☐

```
       ☐
70 ) 5 9 3
     ☐
       ☐
```

검산 $70 \times$ ☐ $+$ ☐ $=$ ☐

$$20 \overline{\smash{)}\begin{array}{r} 4 \\ 8\ 4 \end{array}}$$
$$\begin{array}{r} 8\ 0 \\ \hline 4 \end{array}$$

검산 　$20 \times 4 + 4 = 84$

$$30 \overline{\smash{)}9\ 5}$$

검산

$$40 \overline{\smash{)}8\ 8}$$

검산

$$40 \overline{\smash{)}3\ 5\ 2}$$

검산

$$60 \overline{\smash{)}5\ 2\ 6}$$

검산

$$70 \overline{\smash{)}6\ 1\ 9}$$

검산

$$50 \overline{\smash{)}2\ 0\ 7}$$

검산

$$60 \overline{\smash{)}4\ 3\ 9}$$

검산

1 나눗셈을 하여 몫과 나머지를 쓰세요.

354 ÷
- 40 = ☐ … ☐
- 50 = ☐ … ☐
- 60 = ☐ … ☐

187 ÷
- 20 = ☐ … ☐
- 50 = ☐ … ☐
- 90 = ☐ … ☐

285 ÷
- 30 = ☐ … ☐
- 60 = ☐ … ☐
- 90 = ☐ … ☐

572 ÷
- 60 = ☐ … ☐
- 70 = ☐ … ☐
- 80 = ☐ … ☐

2 몫이 가장 작은 나눗셈에 ○표 하세요.

570 ÷ 80	322 ÷ 50	313 ÷ 60

3 나머지가 가장 큰 나눗셈에 △표 하세요.

70) 6 3 1	20) 1 7 9	30) 2 2 5

4 249쪽짜리 동화책을 하루에 30쪽씩 읽는다면 며칠 안에 모두 읽을 수 있는지 구하려고 합니다. 바르게 설명한 사람을 모두 찾아 이름을 쓰세요.

나눗셈식을 세워
몫과 나머지를 구했어.
249÷30=8…9

슬기

몫이 8이니까
8일 만에 모두
읽을 수 있어.

정호

30쪽씩 8일 동안 읽으면
9쪽이 남으므로 9일 만에
모두 읽을 수 있어.

승희

나머지가 9이니까
9일 만에
모두 읽을 수 있어.

준희

_____

5 준이네 동네에서는 한 달 동안 분리 배출을 하여 빈 깡통 270개를 모았습니다.

빈 깡통을 상자에 30개씩 담으면 가득 담은 상자는 몇 개가 될까요?

_____ 개

빈 깡통을 봉지에 40개씩 담으면 가득 담은 봉지는 몇 봉지이고 남은 깡통은 몇 개일까요?

_____ 봉지, _____ 개

6 서울에서 부산까지 승용차로 315분이 걸렸습니다. 315분은 몇 시간 몇 분일까요?

식 _____ 답 _____ 시간 _____ 분

(두 자리 수)÷(두 자리 수)

개념
원리

(두 자리 수)÷(두 자리 수)의 계산 방법을 알아보고 검산하여 봅시다.

```
        4     몫을 1 크게 →        5
   17 ) 8 9           17 ) 8 9        검산  17 × 5 + 4 = 89
        6 8                  8 5
        2 1                    4
```
나머지가 나누는 수보다 큽니다.

나머지가 나누는 수보다 클 때에는 몫을 1 크게 합니다.

```
        5     몫을 1 작게 →        4
   16 ) 7 2           16 ) 7 2        검산  16 × 4 + 8 = 72
        8 0                  6 4
                              8
```
뺄 수 없습니다.

뺄 수 없을 때에는 몫을 1 작게 합니다.

```
        3     ----→          □
   15 ) 6 8           15 ) 6 8        검산  15 × □ + □ = □
        4 5                  □
        2 3                  □
```

```
        5     ----→          □
   18 ) 8 7           18 ) 8 7        검산  18 × □ + □ = □
        9 0                  □
                             □
```

$$\begin{array}{r} 2 \\ 16 \overline{)3\ 8} \\ 3\ 2 \\ \hline 6 \end{array}$$

검산 $\underline{16 \times 2 + 6 = 38}$

$$21 \overline{)8\ 5}$$

검산 $\underline{}$

$$15 \overline{)6\ 7}$$

검산 $\underline{}$

$$15 \overline{)8\ 0}$$

검산 $\underline{}$

$$22 \overline{)9\ 6}$$

검산 $\underline{}$

$$19 \overline{)7\ 8}$$

검산 $\underline{}$

$$25 \overline{)9\ 5}$$

검산 $\underline{}$

$$11 \overline{)6\ 7}$$

검산 $\underline{}$

1   빈칸에 몫과 나머지를 차례대로 쓰세요.

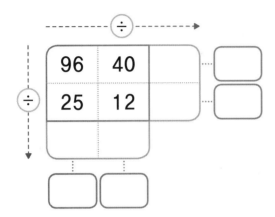

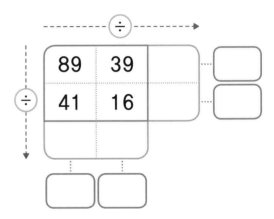

2   주어진 수 카드를 사용하여 가장 큰 두 자리 수와 가장 작은 두 자리 수를 각각 만들고 나눗셈을 하세요.

| 7 | 2 | 1 | 5 |

$$7\,5 \div 1\,2 = 6 \cdots 3$$

| 6 | 4 | 2 | 3 |

$$\Box\Box \div \Box\Box = \Box \cdots \Box$$

| 1 | 9 | 4 | 7 |

$$\Box\Box \div \Box\Box = \Box \cdots \Box$$

| 2 | 8 | 3 | 5 |

$$\Box\Box \div \Box\Box = \Box \cdots \Box$$

3 다음 중 바르게 계산한 것을 찾아 ○표 하세요.

$$
\begin{array}{r}
6 \\
12\,)\overline{\,6\ 3} \\
7\ 2 \\
\hline
9
\end{array}
\qquad
\begin{array}{r}
4 \\
12\,)\overline{\,6\ 3} \\
4\ 8 \\
\hline
1\ 5
\end{array}
\qquad
\begin{array}{r}
5 \\
12\,)\overline{\,6\ 3} \\
6\ 0 \\
\hline
3
\end{array}
$$

$$
\begin{array}{r}
3 \\
18\,)\overline{\,9\ 5} \\
5\ 4 \\
\hline
4\ 1
\end{array}
\qquad
\begin{array}{r}
4 \\
18\,)\overline{\,9\ 5} \\
7\ 2 \\
\hline
2\ 3
\end{array}
\qquad
\begin{array}{r}
5 \\
18\,)\overline{\,9\ 5} \\
9\ 0 \\
\hline
5
\end{array}
$$

4 어느 서점에서 소설책 87권을 1칸에 17권씩 꽂고 남은 책은 진열하려고 합니다. 소설책은 최대 몇 칸에 꽂히게 되고 몇 권이 남을까요?

_____ 칸, _____ 권

5 연필 78자루를 한 상자에 1타씩 포장하여 팔려고 합니다. 연필은 최대 몇 상자까지 팔 수 있을까요? 단, 연필 1타는 12자루입니다.

_____ 상자

나눗셈 문제 해결

개념
원리

곱셈식을 이용하여 몫과 나머지를 구해 봅시다.

$17 \times 5 = 85$

$85 \div 17 = \boxed{5}$

$+ \boxed{4}$

$89 \div 17 = \boxed{5} \cdots \boxed{4}$

$85 \div 17$은 나머지가 없으므로 나누어떨어집니다.
나누어지는 수가 85보다 4 크므로 나머지는 4가 됩니다.

$12 \times 6 = 72$

$72 \div 12 = \boxed{}$

$+ \boxed{}$

$77 \div 12 = \boxed{} \cdots \boxed{}$

$23 \times 4 = 92$

$92 \div 23 = \boxed{}$

$+ \boxed{}$

$95 \div 23 = \boxed{} \cdots \boxed{}$

$15 \times 5 = 75$

$75 \div 15 = \boxed{}$

$+ \boxed{}$

$82 \div 15 = \boxed{} \cdots \boxed{}$

$13 \times 6 = 78$

$78 \div 13 = \boxed{}$

$+ \boxed{}$

$90 \div 13 = \boxed{} \cdots \boxed{}$

$16 \times 6 = 96$

$96 \div 16 = \boxed{}$

$+ \boxed{}$

$97 \div 16 = \boxed{} \cdots \boxed{}$

$21 \times 4 = 84$

$84 \div 21 = \boxed{}$

$+ \boxed{}$

$99 \div 21 = \boxed{} \cdots \boxed{}$

$13 \times 4 = 52$

$58 \div 13 = \boxed{} \cdots \boxed{}$

주어진 곱셈식을 이용하여
나눗셈의 몫과 나머지를
구하세요.

$12 \times 8 = 96$

$99 \div 12 = \boxed{} \cdots \boxed{}$

$15 \times 3 = 45$

$51 \div 15 = \boxed{} \cdots \boxed{}$

$13 \times 7 = 91$

$99 \div 13 = \boxed{} \cdots \boxed{}$

$14 \times 5 = 70$

$73 \div 14 = \boxed{} \cdots \boxed{}$

$24 \times 4 = 96$

$98 \div 24 = \boxed{} \cdots \boxed{}$

$31 \times 3 = 93$

$97 \div 31 = \boxed{} \cdots \boxed{}$

$11 \times 7 = 77$

$81 \div 11 = \boxed{} \cdots \boxed{}$

$16 \times 5 = 80$

$92 \div 16 = \boxed{} \cdots \boxed{}$

1 주어진 식을 이용하여 ☐ 안에 알맞은 수를 쓰세요.

$$86 \div 12 = 7 \cdots 2$$

➡ $88 \div 12 = \boxed{} \cdots \boxed{}$

$$56 \div 15 = 3 \cdots 11$$

➡ $51 \div 15 = \boxed{} \cdots \boxed{}$

$$95 \div 14 = 6 \cdots 11$$

➡ $\boxed{} \div 14 = 6 \cdots 13$

$$77 \div 13 = 5 \cdots 12$$

➡ $\boxed{} \div 13 = 5 \cdots 4$

2 다음과 같이 ☐를 사용한 식을 세우고 어떤 수를 구하세요.

어떤 수를 15로 나누면 몫이 3이고 나머지는 8입니다. 어떤 수는 얼마일까요?

☐를 사용한 식: $\boxed{} \div 15 = 3 \cdots 8$ 　　　어떤 수: 53

어떤 수를 13으로 나누면 몫이 7이고 나머지는 8입니다. 어떤 수는 얼마일까요?

☐를 사용한 식: _____ 　　　어떤 수: _____

83을 어떤 수로 나누면 몫이 3이고 나머지는 11입니다. 어떤 수는 얼마일까요?

☐를 사용한 식: _____ 　　　어떤 수: _____

3 **72**를 **24**로 나누면 나누어떨어집니다. 다음을 구하세요.

> **72**보다 큰 수 중에서 **24**로 나누었을 때 나머지가 **12**가 되는 가장 작은 수 ......

> **72**보다 작은 수 중에서 **24**로 나누었을 때 나머지가 **12**가 되는 가장 큰 수 ......

4 다음 조건에 맞는 수를 구하세요.

> • **60**보다 크고 **80**보다 작은 수입니다.
> • **25**로 나누었을 때 나머지가 가장 큰 수입니다.

5 지은이는 제과점에서 오늘 만든 과자 **97**개를 한 봉지에 **14**개씩 최대한 많은 봉지에 나누어 담고 남은 것은 다 먹었습니다. 지은이가 먹은 과자는 모두 몇 개일까요?

식 _____   답 _____ 개

1 나눗셈을 하세요.

$650 \div 50$

$480 \div 40$

$640 \div 40$

$20 \overline{)3\ 4\ 0}$

$70 \overline{)7\ 7\ 0}$

$30 \overline{)6\ 3\ 0}$

2 몫의 크기를 비교하여 ◯ 안에 >, =, <를 알맞게 쓰세요.

$80 \div 4$ ◯ $800 \div 40$

$60 \div 4$ ◯ $600 \div 40$

$350 \div 50$ ◯ $350 \div 70$

$480 \div 60$ ◯ $480 \div 80$

$640 \div 80$ ◯ $450 \div 50$

$180 \div 30$ ◯ $280 \div 70$

3 몫이 가장 큰 나눗셈에 ◯표, 나머지가 가장 큰 나눗셈에 △표 하세요.

$40 \overline{)2\ 9\ 5}$

$80 \overline{)4\ 7\ 9}$

$20 \overline{)1\ 6\ 5}$

4 민준이가 **410**쪽짜리 책을 매일 **30**쪽씩 읽습니다. 책을 남김없이 모두 읽으려면 며칠이 걸릴까요? 또 마지막 날에는 몇 쪽을 읽게 될까요?

_____ 일, _____ 쪽

5 나눗셈을 하고 검산을 하세요.

$$17 \overline{)6\ 3}$$

$$24 \overline{)8\ 5}$$

검산 _____

검산 _____

6 빈칸에 몫과 나머지를 차례대로 쓰세요.

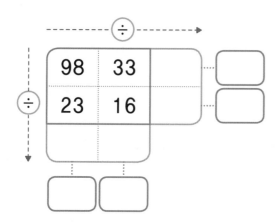

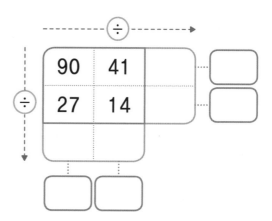

7 주어진 식을 이용하여 ☐ 안에 알맞은 수를 쓰세요.

$$33 \times 4 = 132$$
$$135 \div 33 = \boxed{} \cdots \boxed{}$$

$$22 \times 6 = 132$$
$$150 \div 22 = \boxed{} \cdots \boxed{}$$

$$14 \times 8 = 112$$
$$121 \div 14 = \boxed{} \cdots \boxed{}$$

$$18 \times 7 = 126$$
$$143 \div 18 = \boxed{} \cdots \boxed{}$$

8 80을 16으로 나누면 나누어떨어집니다. 다음을 구하세요.

80보다 큰 수 중에서 16으로 나누었을 때 나머지가 8이 되는 가장 작은 수 ……… ☐

80보다 작은 수 중에서 16로 나누었을 때 나머지가 8이 되는 가장 큰 수 ……… ☐

9 어떤 자연수를 11로 나누었을 때, 나올 수 있는 나머지를 모두 합하면 얼마일까요?

2주차

두 자리 수로
나누기 (2)

(세 자리 수)÷(두 자리 수)의 계산

309 몫이 한 자리 수인 (세 자리 수)÷(두 자리 수)

 몫이 한 자리 수인 (세 자리 수)÷(두 자리 수)의 계산 방법을 알아보고 검산하여 봅시다.

```
              4      몫을 1 크게→      5
   65 ) 3 4 9       65 ) 3 4 9         검산  65 × 5 + 24 = 349
        2 6 0            3 2 5
          8 9              2 4
```
나머지가 나누는 수보다 큽니다.　　　　　　　　나머지가 나누는 수보다 클 때에는 몫을 1 크게 합니다.

```
              8      몫을 1 작게→      7
   38 ) 2 8 3       38 ) 2 8 3         검산  38 × 7 + 17 = 283
        3 0 4            2 6 6
                           1 7
```
뺄 수 없습니다.　　　　　　　　　　　　　　　　뺄 수 없을 때에는 몫을 1 작게 합니다.

```
              5                        □
   26 ) 1 6 1       26 ) 1 6 1         검산  26 × □ + □ = □
        1 3 0
          3 1
```

```
              8                        □
   54 ) 4 1 6       54 ) 4 1 6         검산  54 × □ + □ = □
        4 3 2
```

$$\begin{array}{r} 5 \\ 52\overline{\smash{)}300} \\ 260 \\ \hline 40 \end{array}$$

검산 $52 \times 5 + 40 = 300$

$$26\overline{\smash{)}180}$$

검산 _____

$$33\overline{\smash{)}260}$$

검산 _____

$$24\overline{\smash{)}135}$$

검산 _____

$$41\overline{\smash{)}292}$$

검산 _____

$$37\overline{\smash{)}303}$$

검산 _____

$$38\overline{\smash{)}321}$$

검산 _____

$$63\overline{\smash{)}422}$$

검산 _____

1 관계있는 것끼리 선으로 이으세요.

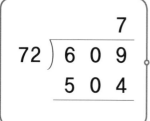

```
        7
72 ) 6 0 9
     5 0 4
```

```
        9
33 ) 2 9 5
     2 9 7
```

곱한 값이 나누어지는 수보다
크므로 뺄 수 없습니다.

몫을 1 크게
합니다.

나머지가 나누는 수보다
큽니다.

몫을 1 작게
합니다.

2 ●안의 수를 ⟋안의 수로 나누어 빈 곳에 몫과 나머지를 쓰세요.

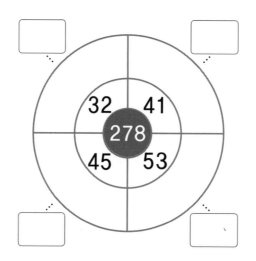

3 주어진 수 카드를 한 번씩 사용하여 (세 자리 수)÷(두 자리 수)의 나눗셈을 만들려고 합니다. 몫이 가장 작은 나눗셈식을 만들고 몫과 나머지를 구하세요. 단, 나머지는 **50**보다 작습니다.

| 1 | 8 | 6 | 4 | 3 |

□□□ ÷ □□ = □ … □

4 꽃 **1**송이를 만드는 데 색 테이프 **35** cm가 필요하다고 합니다. 길이가 **250** cm인 색 테이프로 꽃을 최대한 많이 만든다면 꽃은 몇 송이를 만들 수 있고, 남는 색 테이프는 몇 cm일까요?

_____ 송이, _____ cm

5 성식이네 학교 학생 **157**명이 합동 체육 시간에 짝짓기 놀이를 하고 있습니다. **18**명씩 짝을 지을 때 짝을 짓지 못한 학생은 몇 명일까요?

식 _____   답 _____ 명

6 밤 **175** kg을 한 상자에 **24** kg씩 포장하여 팔려고 합니다. 밤은 몇 상자까지 팔 수 있을까요?

식 _____   답 _____ 상자

310 몫이 두 자리 수인 (세 자리 수)÷(두 자리 수) (1)

2일

나머지가 없는 (세 자리 수)÷(두 자리 수)의 나눗셈을 알아보고 검산을 해 봅시다.

$$
\begin{array}{r}
\boxed{2\ \ 3} \\
24\,)\overline{\,5\ \ 5\ \ 2\,} \\
\boxed{4\ \ 8} \quad \leftarrow 24\times2 \\
\hline
\boxed{7\ \ 2} \quad \leftarrow 552-480 \\
\boxed{7\ \ 2} \quad \leftarrow 24\times3 \\
\hline
0
\end{array}
$$

➡ 552÷24 = $\boxed{23}$

검산   24×23=552

$$
\begin{array}{r}
\boxed{1\ \ 8} \\
38\,)\overline{\,6\ \ 8\ \ 4\,} \\
\boxed{3\ \ 8} \quad \leftarrow 38\times1 \\
\hline
\boxed{3\ \ 0\ \ 4} \quad \leftarrow 684-380 \\
\boxed{3\ \ 0\ \ 4} \quad \leftarrow 38\times8 \\
\hline
0
\end{array}
$$

➡ 684÷38 = $\boxed{18}$

검산   38×18=684

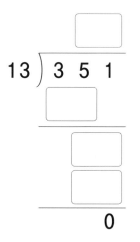

$$
\begin{array}{r}
\boxed{} \\
13\,)\overline{\,3\ \ 5\ \ 1\,} \\
\boxed{} \\
\hline
\boxed{} \\
\boxed{} \\
\hline
0
\end{array}
$$

➡ 351÷13 = $\boxed{}$

검산 _____

$$
\begin{array}{r}
\boxed{} \\
18\,)\overline{\,6\ \ 4\ \ 8\,} \\
\boxed{} \\
\hline
\boxed{} \\
\boxed{} \\
\hline
0
\end{array}
$$

➡ 648÷18 = $\boxed{}$

검산 _____

$$16 \overline{)400}$$
```
        2 5
  16 ) 4 0 0
       3 2
       ─────
         8 0
         8 0
       ─────
           0
```
검산 $16 \times 25 = 400$

$$35 \overline{)840}$$
검산

$$24 \overline{)672}$$
검산

$$32 \overline{)608}$$
검산

$$27 \overline{)837}$$
검산

$$39 \overline{)897}$$
검산

1 왼쪽 나눗셈식을 보고 다시 계산하지 않고 몫을 구하려고 합니다. ☐ 안에 알맞은 수를 쓰세요.

```
        3 6
  14 ) 5 3 2
      4 2
      1 1 2
        8 4
        2 8
```

나머지 **28**이 나누는 수 **14**보다 크므로 더 나눌 수 있습니다.

$28 \div 14 =$ ☐ 이기 때문에

$532 \div 14$의 몫은 $36 +$ ☐ $=$ ☐ 입니다.

2 ☐ 안에 알맞은 식의 기호를 쓰세요.

⊙ 34×7　　ⓒ 34×2　　ⓒ $918 - 680$

```
          2 7
  34 ) 9 1 8
        6 8   ← ☐
        2 3 8  ← ☐
        2 3 8  ← ☐
              0
```

3 ☐ 안에 알맞은 수를 쓰세요.

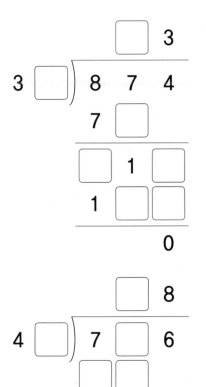

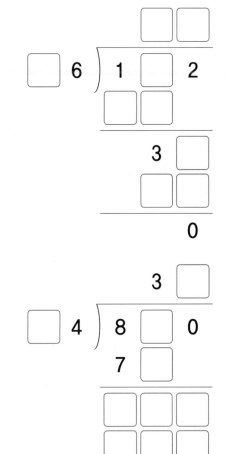

4 지연이네 마을에서는 나무 864그루를 심었습니다. 물음에 답하세요.

24명이 나무를 심었다면 한 사람이 몇 그루씩 심었을까요?

식 _____   답 _____ 그루

나무를 한 줄에 16그루씩 심었습니다. 나무는 몇 줄 심었을까요?

식 _____   답 _____ 줄

몫이 두 자리 수인 (세 자리 수)÷(두 자리 수) (2)

개념
원리

(세 자리 수)÷(두 자리 수)의 나눗셈을 알아보고 검산을 해 봅시다.

```
        3 4
   18 ) 6 1 9
        5 4     ←18×3
      ─────────
        7 9     ←619-540
        7 2     ←18×4
      ─────────
          7     ←79-72
```

➡ 619÷18 = 34 ··· 7

검산 18× 34 + 7 = 619

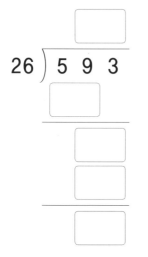

```
   26 ) 5 9 3
```

```
   32 ) 8 1 7
```

➡ 593÷26 = ☐ ··· ☐

➡ 817÷32 = ☐ ··· ☐

검산 26× ☐ + ☐ = ☐

검산 32× ☐ + ☐ = ☐

$$16\overline{\smash{)}3\ 1\ 2}$$

$$33\overline{\smash{)}8\ 0\ 9}$$

검산 _____

검산 _____

$$34\overline{\smash{)}7\ 9\ 5}$$

$$46\overline{\smash{)}9\ 9\ 3}$$

검산 _____

검산 _____

$$15\overline{\smash{)}3\ 7\ 6}$$

$$68\overline{\smash{)}9\ 3\ 7}$$

검산 _____

검산 _____

1 곱셈을 하여 표를 완성하고 표를 이용하여 ☐ 안에 알맞은 수를 쓰세요.

×17	10	20	30	40	50
	170				

294÷17의 몫은 ☐ 보다 크고 ☐ 보다 작으므로 몫의 십의 자리 숫자는 ☐ 입니다.

489÷17의 몫은 ☐ 보다 크고 ☐ 보다 작으므로 몫의 십의 자리 숫자는 ☐ 입니다.

732÷17의 몫은 ☐ 보다 크고 ☐ 보다 작으므로 몫의 십의 자리 숫자는 ☐ 입니다.

2 ☐ 안에 알맞은 수를 쓰세요.

3   주어진 수 카드를 한 번씩 사용하여 (세 자리 수)÷(두 자리 수)의 나눗셈식을 만들려고 합니다. 몫이 가장 큰 나눗셈식을 만들고 몫과 나머지를 구하세요. 단, 나머지는 20보다 큽니다.

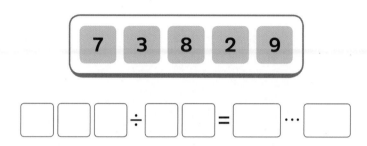

4   258÷16과 나누는 수와 나머지가 같고 몫은 10이 더 큰 나눗셈식을 만드세요.

_____

5   배 867개를 한 상자에 24개씩 담아 포장하였습니다. 배를 최대한 많이 포장하고 남은 배는 몇 개일까요?

식 _____   답 _____ 개

6   효탁이네 학교 학생 571명이 버스를 타고 수학 체험전에 가려고 합니다. 버스 한 대에 43명씩 탈 수 있다면 버스는 최소 몇 대가 필요할까요?

식 _____   답 _____ 대

나눗셈 종합

여러 가지 나눗셈을 하는 방법을 알아봅시다.

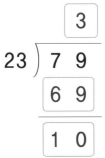

```
        3
  23 ) 7 9
      6 9
      1 0
```

두 자리 수를 두 자리 수로 나누면
몫은 한 자리 수입니다.

```
        5
  37 ) 1 9 9
      1 8 5
        1 4
```

세 자리 수 중 왼쪽 두 자리 수(19)가
나누는 수(37)보다 작으므로 몫이 한
자리 수입니다.

```
        1 9
  29 ) 5 7 4
      2 9
      2 8 4
      2 6 1
        2 3
```

세 자리 수 중 왼쪽 두 자리 수(57)가
나누는 수(29)보다 크므로 몫이 두
자리 수입니다.

```
  23 ) 6 6
```

```
  28 ) 2 1 7
```

```
  31 ) 3 1 1
```

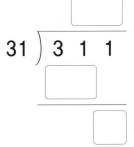

```
  19 ) 9 1
```

```
  62 ) 4 1 5
```

```
  27 ) 5 6 2
```

$$30 \overline{)\ 9\ 0}$$

검산 _____

$$21 \overline{)\ 9\ 4}$$

검산 _____

$$40 \overline{)\ 6\ 4\ 0}$$

검산 _____

$$42 \overline{)\ 2\ 6\ 0}$$

검산 _____

$$19 \overline{)\ 3\ 9\ 8}$$

검산 _____

$$34 \overline{)\ 7\ 8\ 5}$$

검산 _____

1 빈칸에 알맞은 수를 쓰세요.

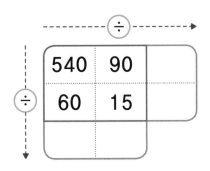

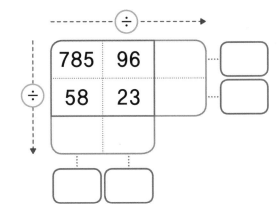

2 다음을 바르게 계산하여 답을 구하세요.

437에 어떤 수를 곱해야 하는데 잘못하여 437을 어떤 수로 나누었더니 몫이 13이고 나머지가 8이었습니다.

잘못된 식: 식 _____ 어떤 수: _____

바르게 계산하기: 식 _____ 답 _____

어떤 수에 62를 곱해야 하는데 잘못하여 어떤 수를 62로 나누었더니 몫이 11이고 나머지가 26이었습니다.

잘못된 식: 식 _____ 어떤 수: _____

바르게 계산하기: 식 _____ 답 _____

3 몫이 두 자리 수인 나눗셈을 모두 찾아 ○표 하세요.

$98 \div 65$	$442 \div 34$	$784 \div 98$
$299 \div 19$	$297 \div 33$	$85 \div 12$

4 수 카드를 한 번씩만 사용하여 다음 나눗셈식을 만들고 몫과 나머지를 구하세요.

몫이 가장 큰 (세 자리 수)÷(두 자리 수)

몫이 가장 작은 (세 자리 수)÷(두 자리 수)

5 다음 나눗셈식에서 같은 모양은 같은 숫자, 다른 모양은 다른 숫자를 나타냅니다. 각 모양이 나타내는 숫자를 구하세요. (단, ♦+♣=8입니다.)

♣ = ☐ , ♦ = ☐ ,

⬠ = ☐ , ♥ = ☐ ,

♠ = ☐

형성평가

1 나눗셈을 하고 검산을 하세요.

64) 4 5 1

26) 5 1 8

검산 ____________________

검산 ____________________

2 사탕 231개를 한 봉지에 38개씩 넣어 포장하려 합니다. 사탕은 최대 몇 봉지를 만들 수 있고, 남은 사탕은 몇 개일까요?

________ 봉지, ________ 개

3 몫이 한 자리 수인 나눗셈을 모두 찾아 ◯표 하세요.

$75 \div 31$	$405 \div 41$	$189 \div 18$
$323 \div 26$	$78 \div 39$	$515 \div 50$

4 □ 안에 알맞은 수를 쓰세요.

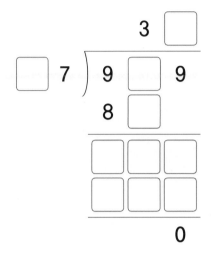

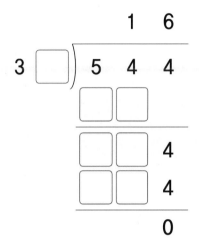

5 윤석이네 학교 학생들이 버스 6대에 28명씩 타고 수학 여행을 갔습니다. 한 방을 14명씩 사용하면 모두 몇 개의 방이 필요할까요?

_____ 개

6 주어진 수 카드를 한 번씩 사용하여 (세 자리 수) ÷ (두 자리 수)의 나눗셈을 만들려고 합니다. 몫이 가장 큰 나눗셈식을 만들고 몫과 나머지를 구하세요. 단, 나머지는 30보다 큽니다.

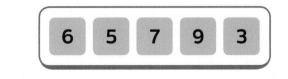

□□□ ÷ □□ = □ ··· □

7 어떤 기계는 한 번 충전하면 **432**시간 동안 작동한다고 합니다. 기계가 작동하는 시간은 며칠일까요?

_____ 일

8 빈칸에 알맞은 수를 쓰세요.

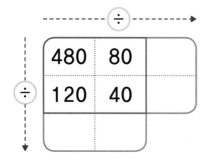

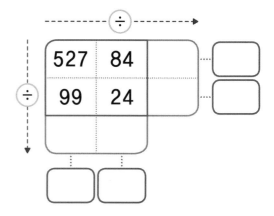

9 처음으로 비행기가 태평양을 횡단하는 데 **997**분이 걸렸다고 합니다. 이때 걸린 시간은 몇 시간 몇 분 일까요?

_____ 시간 _____ 분

큰 수

자릿수가 5개 이상인 수 알아보기

다섯 자리 수

개념
원리

다섯 자리 수를 알아봅시다.

10000이 8 ┐
1000이 3 │
10이 5 │ 이면
1이 9 ┘

83059 라 쓰고

팔만 삼천오십구 라고 읽습니다.

➡ 80000 + 3000 + 50 + 9

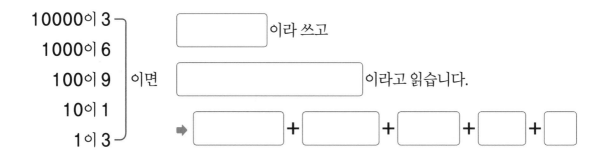

10000이 3 ┐
1000이 6 │
100이 9 │ 이면
10이 1 │
1이 3 ┘

이라 쓰고

이라고 읽습니다.

➡ ☐ + ☐ + ☐ + ☐ + ☐

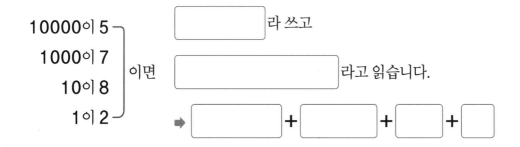

10000이 5 ┐
1000이 7 │
10이 8 │ 이면
1이 2 ┘

라 쓰고

라고 읽습니다.

➡ ☐ + ☐ + ☐ + ☐

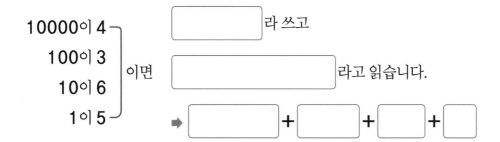

10000이 4 ┐
100이 3 │
10이 6 │ 이면
1이 5 ┘

라 쓰고

라고 읽습니다.

➡ ☐ + ☐ + ☐ + ☐

이만 삼천 — 23000

수를 쓰거나 읽으세요.

칠만 사천구백이십삼 — _____

팔만 칠십육 — _____

오만 십칠 — _____

육만 사천삼십구 — _____

칠만 칠천팔 — _____

45000 — 사만 오천

86040 — _____

62180 — _____

70300 — _____

94365 — _____

20040 — _____

80003 — _____

50900 — _____

1 ☐ 안에 알맞은 수를 쓰세요.

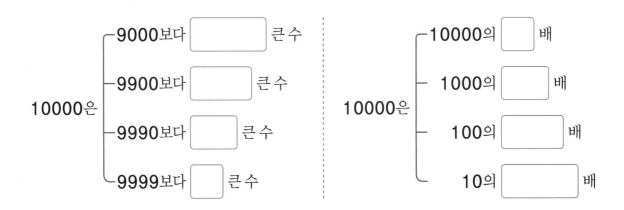

10000은
- 9000보다 [   ] 큰 수
- 9900보다 [   ] 큰 수
- 9990보다 [   ] 큰 수
- 9999보다 [   ] 큰 수

10000은
- 10000의 [   ] 배
- 1000의 [   ] 배
- 100의 [   ] 배
- 10의 [   ] 배

2 수 카드를 한 번씩 모두 사용하여 다섯 자리 수를 만드세요.

5 2 6
9 1

만의 자리 숫자가 5인 가장 큰 수: _____

천의 자리 숫자가 9인 가장 작은 수: _____

3 다음 수는 얼마일까요?

- 2부터 6까지의 숫자를 한 번씩 사용하여 만든 수입니다.
- 54000보다 크고 54300보다 작은 수입니다.
- 일의 자리 숫자는 홀수입니다.

[   ]

4 다음 수를 보고 물음에 답하세요.

73658	87654	29876	62784	56087

숫자 **7**이 **7000**을 나타내는 수를 쓰세요.

_____

숫자 **6**이 나타내는 수가 가장 큰 수를 쓰세요.

_____

만의 자리 숫자가 **5**인 수를 쓰세요.

_____

천의 자리 숫자가 **2**인 수를 쓰세요.

_____

5 지연이는 **10000**원짜리 **4**장, **1000**원짜리 **7**장, **100**원짜리 **6**개, **10**원짜리 **7**개를 모았습니다. 지연이가 모은 돈은 모두 얼마일까요?

_____ 원

6 종성이가 저금통에 모은 돈은 **10000**원짜리 **2**장, **1000**원짜리 **16**장, **100**원짜리 **27**개, **10**원짜리 **42**개입니다. 종성이가 저금통에 모은 돈은 모두 얼마일까요?

_____ 원

십만, 백만, 천만 단위 수

개념원리 | 십만, 백만, 천만을 알아봅시다.

50631700은 [5063] 만 [1700] 과 같으므로

[오천육십삼만 천칠백] 이라고 읽습니다.

➡ [50000000] +600000+ [30000] +1000+ [700]

7103806은 [ ] 만 [ ] 과 같으므로

[ ] 이라고 읽습니다.

➡ [ ] +100000+ [ ] +800+ [ ]

20083490은 [ ] 만 [ ] 과 같으므로

[ ] 이라고 읽습니다.

➡ [ ] +80000+ [ ] +400+ [ ]

67300880은 [ ] 만 [ ] 과 같으므로

[ ] 이라고 읽습니다.

➡ [ ] +7000000+ [ ] +800+ [ ]

| 칠백육만 이십 | 7060020 |

수를 쓰거나 읽으세요.

| 이천오백만 삼십 | |

| 오십칠만 이천팔 | | 육백칠십만 사백 | |

| 천삼십오만 사천팔백 | | 구천삼십만 구천사 | |

| 37209060 | 삼천칠백이십만 구천육십 |

| 7050062 | |

| 23090320 | |

| 80082005 | |

1 관계있는 것끼리 선으로 이으세요.

4000404		사백사만 사
4040004		사백만 사백사
4000044		사백만 사십사

2 수 카드를 한 번씩 모두 사용하여 가장 큰 여덟 자리 수와 가장 작은 여덟 자리 수를 만들고 읽어 보세요.

| 0 | 1 | 2 | 3 | 5 | 6 | 7 | 8 |

가장 큰 여덟 자리 수: _____   읽기: _____

가장 작은 여덟 자리 수: _____   읽기: _____

3 다음 수는 얼마일까요?

- 각 자리의 숫자는 모두 다릅니다.
- 2부터 8까지의 숫자로 된 수입니다.
- 530만보다 크고 540만보다 작습니다.
- 만의 자리 숫자는 일의 자리 숫자의 4배입니다.
- 백의 자리 숫자는 짝수이고 천의 자리 숫자보다 큽니다.

4 숫자 3이 나타내는 값이 가장 큰 수를 찾아 ○표 하고 그 수를 읽으세요.

| 15431467 | 345600 | 9327000 | 23004500 | 38890 |

읽기: _____

5 설명하는 수는 얼마인지 쓰세요.

1000만이 3, 100만이 8, 10만이 9인 수 ·········· [   ]

100만이 15, 10만이 5, 천이 11인 수 ·········· [   ]

6 은행에 예금한 돈 57000000원을 수표로 찾으려고 합니다.

이 돈을 모두 100만 원권 수표로 찾는다면 몇 장을 받게 될까요?

_____ 장

이 돈을 모두 10만 원권 수표로 찾는다면 몇 장을 받게 될까요?

_____ 장

7 돈 15600000원을 100만 원권 수표와 10만 원권 수표로 찾으려고 합니다. 수표의 수가 가장 적게 찾으려면 어떻게 찾아야 할까요?

100만 원권 수표: _____ 장, 10만 원권 수표: _____ 장

억과 조

개념
원리

억과 조를 알아봅시다.

25412405600은

억이 254

만이 1240

일이 5600 인 수입니다.

23320045670000은

조가 23

억이 3200

만이 4567 인 수입니다.

큰 수를 읽을 때에는 일의 자리에서부터 **4**자리씩 끊어 읽습니다.

356|0150|1240|0040 → 356조 150억 1240만 40
조   억   만

236780057000090은

조가 ☐

억이 ☐

만이 ☐

일이 ☐ 인 수입니다.

560528760800은

억이 ☐

만이 ☐

일이 ☐ 인 수입니다.

2407000507030000은

조가 ☐

억이 ☐

만이 ☐ 인 수입니다.

570098006500000은

조가 ☐

억이 ☐

만이 ☐ 인 수입니다.

수를 조, 억, 만 단위로
끊어 쓰세요.

8560032809200 ➡ <u>8</u> 조 <u>5600</u> 억 <u>3280</u> 만 <u>9200</u>

24456732054590 ➡ <u>   </u> 조 <u>   </u> 억 <u>   </u> 만 <u>   </u>

40009045672300 ➡ <u>   </u> 조 <u>   </u> 억 <u>   </u> 만 <u>   </u>

7870320921000090 ➡ <u>   </u> 조 <u>   </u> 억 <u>   </u> 만 <u>   </u>

200025000783245 ➡ <u>   </u> 조 <u>   </u> 억 <u>   </u> 만 <u>   </u>

340000954678000 ➡ <u>   </u> 조 <u>   </u> 억 <u>   </u> 만 <u>   </u>

8009019006900871 ➡ <u>   </u> 조 <u>   </u> 억 <u>   </u> 만 <u>   </u>

30098740609001 ➡ <u>   </u> 조 <u>   </u> 억 <u>   </u> 만 <u>   </u>

1 다음을 수로 쓰세요.

칠억 _____

사백오십억 _____

오천팔백칠십육억 삼천사백오만 이백팔십구 _____

이십사조 육십오억 이천칠백육십구만 구십육 _____

2 수 카드를 한 번씩 모두 사용하여 다음 수를 만드세요.

십억의 자리 숫자가 8인 가장 큰 수: _____

일의 자리 숫자가 1인 가장 작은 수: _____

3 0부터 9까지의 숫자를 한 번씩 모두 사용하여 열 자리 수를 만들려고 합니다. 만들 수 있는 가장 큰 수에서 숫자 7이 나타내는 수는 만들 수 있는 가장 작은 수에서 숫자 7이 나타내는 수의 몇 배일까요?

_____ 배

4   천억이 67개, 백억이 35개, 천만이 167개인 수는 얼마일까요?

_____

5   소유네 가게에서 지난 한 달 동안 물건을 판 돈 중에서 10000000원짜리 수표 25장,
    1000000원짜리 수표 310장을 은행에 입금하였습니다. 입금한 돈은 모두 얼마일까요?

_____ 원

6   백억이 29개, 억이 31개, 십만이 55개인 수를 12자리 수로 나타낼 때, 0은 모두 몇 개일까요?

_____ 개

7   빛이 1년 동안에 갈 수 있는 거리를 1광년이라 합니다. 1광년은 9460000000000 km입니
    다. 100광년은 몇 km일까요?

_____ km

큰 수 뛰어 세기

개념
원리

큰 수를 뛰어서 세어 봅시다.

| 만씩 뛰어 세기 | 35만 | 36만 | 37만 | 38만 |

| 억씩 뛰어 세기 | 52억 | 53억 | 54억 | 55억 |

| 조씩 뛰어 세기 | 135조 | 136조 | 137조 | 138조 |

만씩 뛰어 세면 만의 자리 숫자가 1씩 커집니다.
억씩 뛰어 세면 억의 자리 숫자가 1씩 커집니다.
조씩 뛰어 세면 조의 자리 숫자가 1씩 커집니다.

| 십만씩 뛰어 세기 | 120만 | 130만 | | |

| 천만씩 뛰어 세기 | 7300만 | | | 1억 300만 |

| 백억씩 뛰어 세기 | 870억 | | 1070억 | |

| 십조씩 뛰어 세기 | 1282조 | | | 1312조 |

| 천조씩 뛰어 세기 | 1009조 | 2009조 | | |

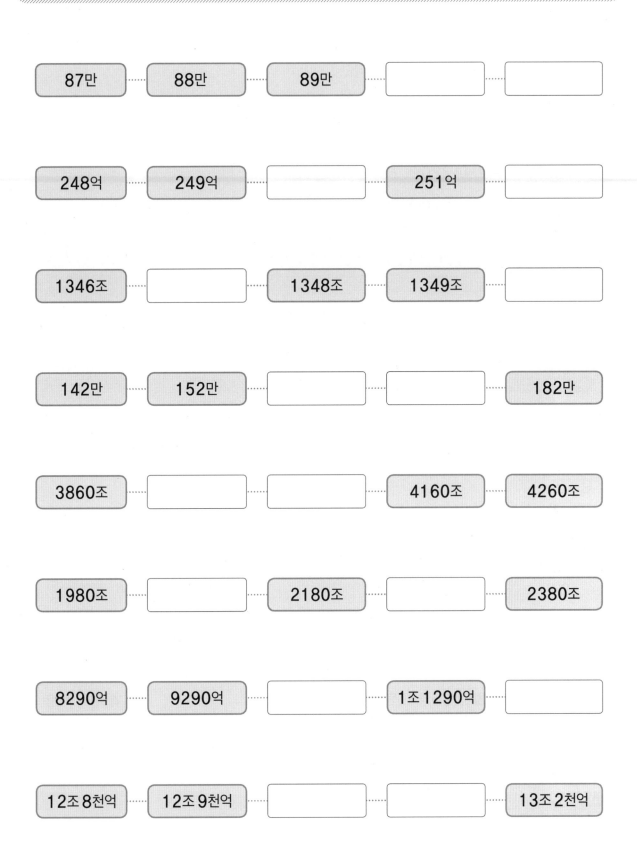

87만 ┈┈ 88만 ┈┈ 89만 ┈┈ [　] ┈┈ [　]

248억 ┈┈ 249억 ┈┈ [　] ┈┈ 251억 ┈┈ [　]

1346조 ┈┈ [　] ┈┈ 1348조 ┈┈ 1349조 ┈┈ [　]

142만 ┈┈ 152만 ┈┈ [　] ┈┈ [　] ┈┈ 182만

3860조 ┈┈ [　] ┈┈ [　] ┈┈ 4160조 ┈┈ 4260조

1980조 ┈┈ [　] ┈┈ 2180조 ┈┈ [　] ┈┈ 2380조

8290억 ┈┈ 9290억 ┈┈ [　] ┈┈ 1조 1290억 ┈┈ [　]

12조 8천억 ┈┈ 12조 9천억 ┈┈ [　] ┈┈ [　] ┈┈ 13조 2천억

1 화살표 규칙에 따라 빈칸에 알맞은 수를 쓰세요.

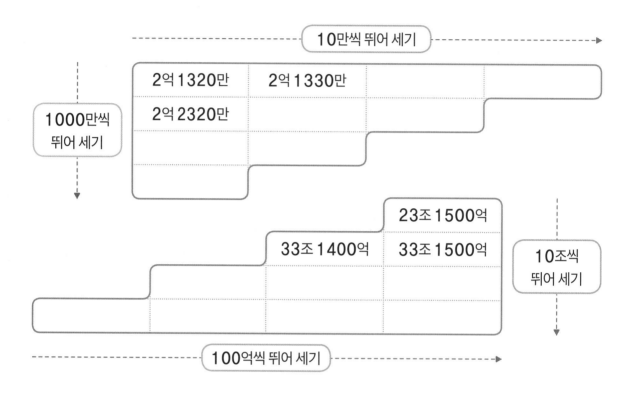

2 규칙에 맞게 빈칸에 알맞은 수를 쓰세요.

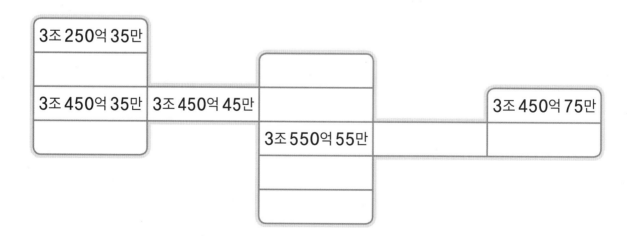

3   10배씩 뛰어 세어 빈칸에 알맞은 수를 쓰세요.

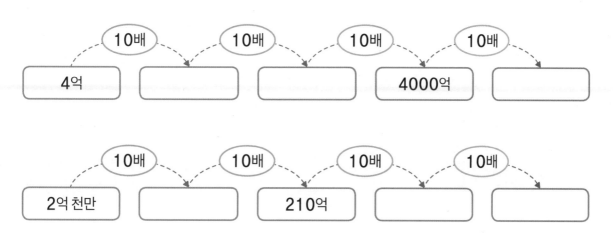

4   소민이는 매월 10만 원씩 5개월 동안 저금하기로 하였습니다. 현재 통장에 5400000원이 있다면
    5개월 후에는 통장에 얼마가 있을까요?

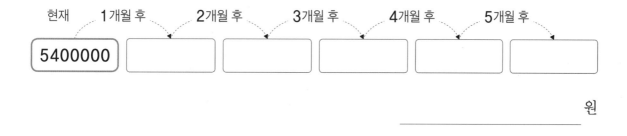

                                                                                    원

5   어떤 수에서 3000억씩 10번 뛰어서 센 수가 5조 6000억이었습니다. 어떤 수를 구하세요.

1 수를 쓰거나 읽으세요.

| 천사십만 오천삼 | _____ | 구천육백십만 천사 | _____ |

| 이천사십만 오백십이 | _____ | 오천육백만 이천구 | _____ |

39042 _____

82350 _____

38000006 _____

92067024 _____

2 다음 수는 얼마일까요?

- 다섯 자리 수입니다.
- 1부터 5까지의 숫자를 한 번씩 사용하였습니다.
- 2만보다 크고 3만보다 작은 수입니다.
- 일의 자리 숫자는 짝수입니다.
- 천의 자리 숫자는 백의 자리 숫자보다 크고,
  백의 자리 숫자는 십의 자리 숫자보다 큽니다.

3 **0**부터 **9**까지의 수 카드를 한 번씩 모두 사용하여 다음 수를 만들어 보세요.

> 천만 자리의 숫자가 **8**인 가장 큰 수

> 백의 자리 숫자가 **2**인 가장 작은 수

_____

_____

4 다음을 수로 쓰세요.

> 천이백억

_____

> 이백칠억

_____

> 육천삼십조 오백삼억

_____

> 육천이십구억 이천팔백사십구만 천팔백이십

_____

> 이백구십팔조 삼천구백사억 이백육만 천이백

_____

5 천억이 **38**개, 백억이 **42**개, 십억이 **84**개, 백만이 **287**인 수는 얼마인지 수를 쓰고 읽으세요.

쓰기: _____

읽기: _____

6 수를 뛰어 세어 빈칸에 알맞은 수를 쓰세요.

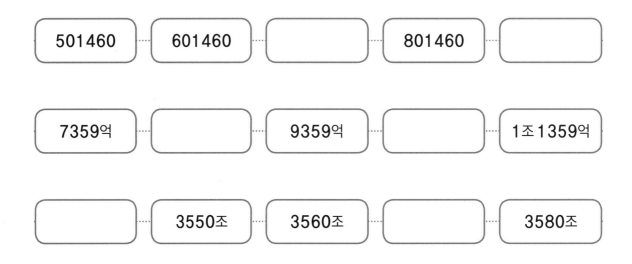

| 501460 | 601460 | | 801460 | |

| 7359억 | | 9359억 | | 1조1359억 |

| | 3550조 | 3560조 | | 3580조 |

7 어떤 수에서 **100만**씩 뛰어 세기를 **4**번 하였더니 **2940만**이 되었습니다. 어떤 수를 구하고 구한 방법을 쓰세요.

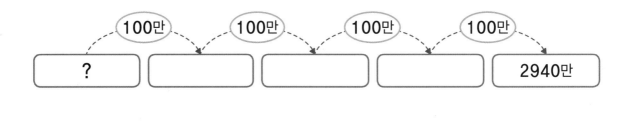

4주차

큰 수의 계산

계산 원리를 큰 수에 적용하기

큰 수의 덧셈

큰 수의 덧셈을 알아봅시다.

$420867+290872$

$=$ 711739

	4	2	0	8	6	7
+	2	9	0	8	7	2
	7	1	1	7	3	9

자릿수를 맞춘 다음, 같은 자리 숫자끼리 계산합니다. 같은 자리 숫자끼리의 합이 10보다 크거나 같으면 받아올려 계산합니다.

$718829+91963$

$=$ ☐

	7	1	8	8	2	9
+		9	1	9	6	3

$4820718+709483$

$=$ ☐

	4	8	2	0	7	1	8
+		7	0	9	4	8	3

$3841994+5258006$

$=$ ☐

	3	8	4	1	9	9	4
+	5	2	5	8	0	0	6

$67415924+13092017$

$=$ ☐

	6	7	4	1	5	9	2	4
+	1	3	0	9	2	0	1	7

```
    5 5 0 0 9 5              7 5 8 5 0 4
  +   6 0 1 8 1            + 3 1 0 2 1 8
  ─────────────            ─────────────


    3 4 2 0 9 0 8            5 6 1 0 7 7 6
  +   9 5 4 6 3 8          + 5 8 5 7 0 0 4
  ───────────────          ───────────────


    6 0 5 4 8 2 9 0          6 5 5 0 0 8 5 3
  +   8 7 0 6 0 7 8        + 2 5 7 1 7 1 5 9
  ─────────────────        ─────────────────
```

7810585 + 456456   1580890 + 5643087

54052580 + 9651408   45612789 + 58565421

1 다음과 같이 두 수의 합을 구하세요.

팔천삼백오십만 사천이백삼
칠천이십칠만 삼천사백칠십육

```
   8 3 5 0 4 2 0 3
 + 7 0 2 7 3 4 7 6
 ─────────────────
 1 5 3 7 7 7 6 7 9
```

칠백구십만 삼백구십팔
칠십구만 구천오백구십오

```
+
───────────
```

이천팔십팔만 육천오백팔
천구십오만 칠천육백사

```
+
───────────
```

2 □ 안에 알맞은 수를 쓰세요.

```
  □ □ □ 5 4 9
 +   8 4 □ □ □
 ─────────────
   7 1 4 3 1 7
```

```
  8 □ 5 □ 2 8 0 □
 +   3 □ 0 □ 3 □ 5
 ─────────────────
  □ 1 2 4 5 □ 8 1
```

3 주어진 수 카드를 한 장씩 사용하여 여섯 자리 수를 만듭니다. 물음에 답하세요.

가장 큰 수와 가장 작은 수의 합을 구하세요.

$$
\begin{array}{c}
\square\square\square\square\square\square \\
+\ \square\square\square\square\square\square \\
\hline
\end{array}
$$

십만의 자리가 **4**인 가장 큰 수와 일의 자리가 **4**인 가장 작은 수의 합을 구하세요.

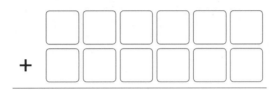

4 어느 도시의 초등학교 남학생과 여학생 수를 나타낸 표를 보고 이 도시의 초등학생 수를 구하세요.

남학생	여학생
321600명	289850명

_____ 명

큰 수의 뺄셈

큰 수의 뺄셈을 알아봅시다.

718566 − 372967

= [345599]

```
    7 1 8 5 6 6
  − 3 7 2 9 6 7
  ─────────────
    3 4 5 5 9 9
```

자릿수를 맞춘 다음, 일의 자리 숫자부터 차례로 뺄셈을 합니다. 같은 자리 숫자끼리 뺄 수 없으면 받아내림하여 계산합니다.

528004 − 57325

= [　　　　]

```
    5 2 8 0 0 4
  −   5 7 3 2 5
  ─────────────
    □ □ □ □ □ □
```

2008001 − 509302

= [　　　　]

```
  2 0 0 8 0 0 1
  −   5 0 9 3 0 2
  ───────────────
  □ □ □ □ □ □ □
```

7011097 − 5222056

= [　　　　]

```
  7 0 1 1 0 9 7
  − 5 2 2 2 0 5 6
  ───────────────
  □ □ □ □ □ □ □
```

87200104 − 16212073

= [　　　　]

```
  8 7 2 0 0 1 0 4
  − 1 6 2 1 2 0 7 3
  ─────────────────
  □ □ □ □ □ □ □ □
```

```
    7 3 9 8 5 1              8 3 4 9 8 0
  -   9 0 0 7 0            - 1 4 8 7 0 2
  _____              _____
```

```
    5 1 4 0 8 8 0            8 2 1 0 7 5 6
  -   3 4 7 2 1 5          - 5 5 2 8 0 1 0
  _____            _____
```

```
    7 0 2 3 9 6 9 3          9 5 4 8 0 8 7 1
  -   7 6 0 8 2 0 7        - 3 5 2 0 7 1 4 9
  _____          _____
```

7810585 - 456456   1580890 - 564308

54052580 - 9651408   95612789 - 58565421

응용연산

1 두 수의 차를 구하세요.

백칠십삼만 구천칠십오
팔십팔만 구십육

━━━━━
−

천오백이만 육백칠십오
육백칠십칠만 칠천팔십팔

━━━━━
−

2 □안에 알맞은 수를 쓰세요.

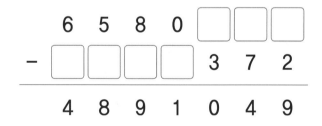

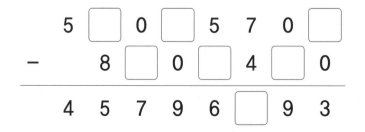

3 0부터 3까지의 숫자를 각각 두 번씩 사용하여 여덟 자리 수를 만듭니다. 물음에 답하세요.

가장 큰 수와 가장 작은 수의 차를 구하세요.

```
  ☐☐☐☐☐☐☐☐
- ☐☐☐☐☐☐☐
```

셋째로 큰 수와 셋째로 작은 수의 차를 구하세요.

```
  ☐☐☐☐☐☐☐
- ☐☐☐☐☐☐☐
```

4 어느 도시의 총 인구 수를 나타낸 표입니다. 여자는 모두 몇 명일까요?

남자	여자	총 인구
1098265명	명	2002145명

5 어떤 수에 26510024를 더해야 할 것을 잘못하여 뺐더니 9241508이 되었습니다. 바르게 계산하면 얼마일까요?

잘못된 식: 식 _____   어떤 수: _____

바르게 계산하기: 식 _____   답 _____

큰 수 곱하기 몇십, 몇백, 몇천

큰 수의 곱을 알아봅시다.

0이 모두 $\boxed{6}$ 개

$85\overline{000} \times 4\overline{000} = \boxed{34\overline{0000000}}$

$85 \times 4 = \boxed{340}$

85와 4의 곱을 구하여 쓰고 곱의 끝자리에
두 수의 0의 개수의 합만큼 0을 써 줍니다.

0이 모두 ☐ 개

$11\overline{000} \times 5\overline{00} = \boxed{}$

$11 \times 5 = \boxed{}$

0이 모두 ☐ 개

$24\overline{000000} \times 3\overline{0} = \boxed{}$

$24 \times 3 = \boxed{}$

0이 모두 ☐ 개

$145\overline{00} \times 8\overline{000} = \boxed{}$

$145 \times 8 = \boxed{}$

0이 모두 ☐ 개

$98\overline{0000} \times 2\overline{00} = \boxed{}$

$98 \times 2 = \boxed{}$

1600×50

12000×600

5800×8000

45000×70

52000×500

9300×300

60200×700

4800×400

1290×9000

61400×30

240000×60

12800×5000

1 빈칸에 알맞은 수를 쓰세요.

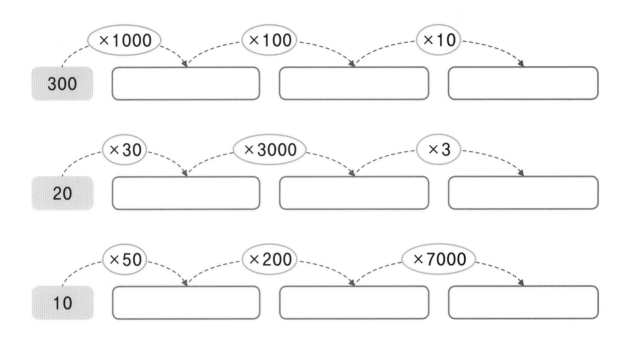

2 곱셈을 하여 빈칸에 알맞은 수를 쓰세요.

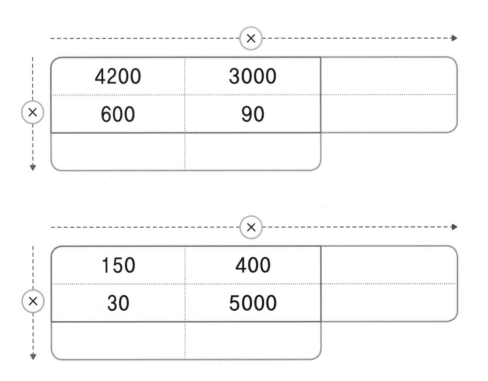

3 다음과 같이 두 수의 곱을 구하고 곱을 읽으세요.

이만삼천 곱하기 오천은 <u>일억 천오백만</u> 입니다.

식 <u>23000 × 5000 = 115000000</u>

삼백구십만 곱하기 팔십은 <u> </u> 입니다.

식 <u> </u>

사십만오천 곱하기 육천은 <u> </u> 입니다.

식 <u> </u>

4 백일장 대회에 참가한 학생 3500명에게 원고지를 80장씩 나누어 주려고 합니다. 원고지는 모두 몇 장이 필요할까요?

식 <u> </u>　　　　답 <u> </u> 장

5 영상을 촬영하는 데 카메라 8대가 필요하다고 합니다. 카메라 한 대의 가격이 150000원일 때 필요한 카메라의 가격은 모두 얼마일까요?

식 <u> </u>　　　　답 <u> </u> 원

큰 수 나누기 몇십, 몇백, 몇천

큰 수의 나눗셈을 알아봅시다.

0의 개수의 차가 $\boxed{3}$ 개

$96000000 \div 3000 = \boxed{32000}$

$96 \div 3 = \boxed{32}$

$96 \div 3$의 몫을 구하여 쓰고 몫의 끝자리에 나누어지는 수의 0의 개수에서 나누는 수의 0의 개수를 뺀 수만큼 0을 써 줍니다.

0의 개수의 차가 $\boxed{}$ 개

$840000 \div 400 = \boxed{}$

$84 \div 4 = \boxed{}$

0의 개수의 차가 $\boxed{}$ 개

$7200000 \div 300 = \boxed{}$

$72 \div 3 = \boxed{}$

0의 개수의 차가 $\boxed{}$ 개

$12500000 \div 50 = \boxed{}$

$125 \div 5 = \boxed{}$

0의 개수의 차가 $\boxed{}$ 개

$13200000 \div 6000 = \boxed{}$

$132 \div 6 = \boxed{}$

0의 개수의 차가 $\boxed{}$ 개

$4280000 \div 2000 = \boxed{}$

$428 \div 2 = \boxed{}$

0의 개수의 차가 $\boxed{}$ 개

$81200000 \div 70 = \boxed{}$

$812 \div 7 = \boxed{}$

990000÷3000

505000÷50

558000÷30

756000÷600

99900÷90

714000÷600

7350000÷500

2540000÷2000

7160000÷40

4120000÷4000

48000000÷3000

76800000÷200

응용연산

1 빈칸에 알맞은 수를 쓰세요.

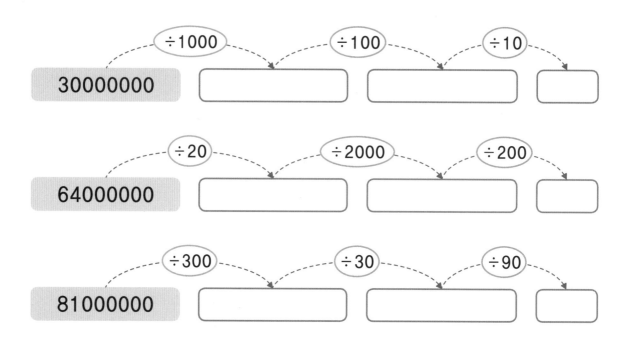

30000000 ÷1000 → ☐ ÷100 → ☐ ÷10 → ☐

64000000 ÷20 → ☐ ÷2000 → ☐ ÷200 → ☐

81000000 ÷300 → ☐ ÷30 → ☐ ÷90 → ☐

2 나눗셈을 하여 빈칸에 알맞은 수를 쓰세요.

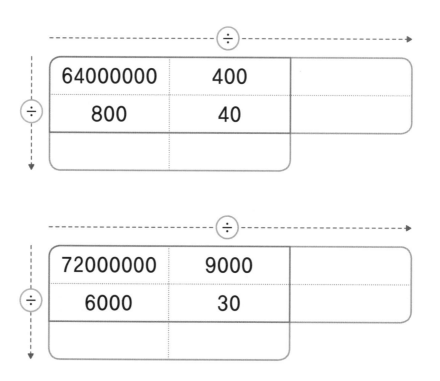

÷

÷		
64000000	400	
800	40	

÷

÷		
72000000	9000	
6000	30	

3 다음과 같이 나눗셈의 몫을 구하고 몫을 읽으세요.

육천이십만 나누기 이천은 삼만 백 입니다.

식 $60200000 \div 2000 = 30100$

이천칠백오십만 나누기 오천은 ＿＿＿＿＿ 입니다.

식 ＿＿＿＿＿＿＿＿＿＿＿＿＿＿

구천삼만 나누기 삼백은 ＿＿＿＿＿ 입니다.

식 ＿＿＿＿＿＿＿＿＿＿＿＿＿＿

4 전자 제품 대리점에서 한 달 동안 **40**대의 컴퓨터를 판 돈은 **9240000**원입니다. 물음에 답하세요.

컴퓨터 가격이 모두 같다고 할 때 컴퓨터 한 대의 값은 얼마일까요?

식 ＿＿＿＿＿＿＿＿＿＿＿ 답 ＿＿＿＿＿ 원

이번 달이 **4**월이라고 할 때 하루에 얼마씩을 판 셈일까요?

식 ＿＿＿＿＿＿＿＿＿＿＿ 답 ＿＿＿＿＿ 원

1 두 수의 합을 구하세요.

| 오백삼십칠만 이천구백사 |
| 육십이만 사천칠백십칠 |

$$+ \quad\rule{4cm}{0.4pt}$$

| 육천삼백오십만 이백오십오 |
| 이천사백육십이만 구천팔백사십구 |

$$+ \quad\rule{4cm}{0.4pt}$$

2 ☐ 안에 알맞은 수를 쓰세요.

```
    ☐ ☐ ☐ 0 2 8 7
 +  1 3 8 ☐ ☐ ☐ ☐
 ─────────────────
    6 1 5 0 0 2 1
```

```
    ☐ ☐ 8 3 ☐ 4 ☐ 8
 +    4 5 ☐ 7 ☐ 8 ☐
 ───────────────────
    8 1 ☐ 5 9 4 4 2
```

3 두 수의 차를 구하세요.

삼천이백칠십이만 천백이십삼 천팔백구십육만 사천삼백이십칠	팔천삼만 십육 오천이백사십팔만 천오백이십팔
─	─

4 어떤 수에서 **12090604**를 빼야할 것을 잘못하여 더했더니 **50580605**가 되었습니다. 바르게 계산하면 얼마일까요?

잘못된 식: 식 _____   어떤 수: _____

바르게 계산하기: 식 _____   답 _____

5 곱셈을 하여 빈칸에 알맞은 수를 쓰세요.

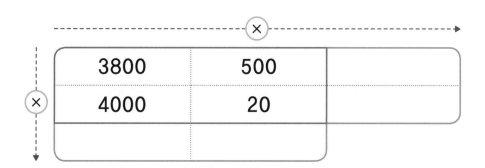

×	3800	500	
×	4000	20	

6 한 상자에 **5600**개씩 들어 있는 블루베리가 **6000**상자가 있을 때 블루베리는 모두 몇 개일까요?

식 _____   답 _____ 개

7 나눗셈을 하세요.

4900000 ÷ 700   4000000 ÷ 5000

81000 ÷ 30   4160000 ÷ 800

432000 ÷ 6000   252000 ÷ 40

8 가방 **500**개를 팔아 **28500000**원을 벌었다면 가방 한 개의 가격은 얼마였을까요?

식 _____   답 _____ 원

상위권으로 가는 문제 해결 연산 학습지

정답

응용
연산

C4
초3~초4

나눗셈, 큰 수의 계산

Creative to Math
씨투엠

C4

나눗셈, 큰 수의 계산

초3 ~ 초4

정답 및 길잡이

두 자리 수로 나누기 (1)

305 _{1일} C 몇십으로 나누기

개념원리

나눗셈을 알아봅시다.

$150 \div 30 = 5$

$15 \div 3 = 5$

십원짜리 동전 15개를 3개씩 묶으면 5묶음입니다.
$15 \div 3$의 몫은 5이므로 $150 \div 30$의 몫은 5입니다.

$80 \div 20 = 4$ 　　$120 \div 40 = 3$ 　　$420 \div 70 = 6$
$8 \div 2 = 4$ 　　$12 \div 4 = 3$ 　　$42 \div 7 = 6$

$360 \div 30 = 12$ 　$550 \div 50 = 11$ 　$960 \div 30 = 32$
$36 \div 3 = 12$ 　$55 \div 5 = 11$ 　$96 \div 3 = 32$

$900 \div 60 = 15$ 　$880 \div 40 = 22$ 　$480 \div 40 = 12$
$90 \div 6 = 15$ 　$88 \div 4 = 22$ 　$48 \div 4 = 12$

$40 \div 20 = 2$ 　　$90 \div 10 = 9$ 　　$60 \div 20 = 3$

$240 \div 30 = 8$ 　$320 \div 40 = 8$ 　$490 \div 70 = 7$

$770 \div 70 = 11$ 　$680 \div 40 = 17$ 　$640 \div 40 = 16$

$$10\overline{)70} = 7 \qquad 80\overline{)800} = 10 \qquad 50\overline{)600} = 12$$

$$50\overline{)450} = 9 \qquad 70\overline{)280} = 4 \qquad 90\overline{)270} = 3$$

$$30\overline{)390} = 13 \qquad 20\overline{)260} = 13 \qquad 60\overline{)720} = 12$$

응용연산

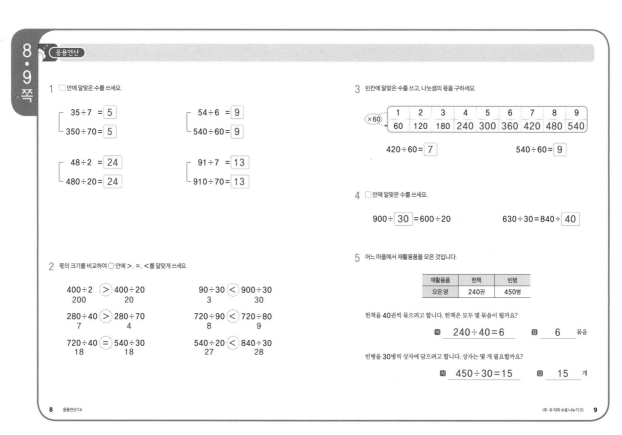

1 □ 안에 알맞은 수를 쓰세요.

$35 \div 7 = 5$
$350 \div 70 = 5$

$54 \div 6 = 9$
$540 \div 60 = 9$

$48 \div 2 = 24$
$480 \div 20 = 24$

$91 \div 7 = 13$
$910 \div 70 = 13$

2 묶의 크기를 비교하여 ○ 안에 >, =, <를 알맞게 쓰세요.

$\underset{200}{400 \div 2} \bigcirc{>} \underset{20}{400 \div 20}$

$\underset{3}{90 \div 30} \bigcirc{<} \underset{30}{900 \div 30}$

$\underset{7}{280 \div 40} \bigcirc{>} \underset{4}{280 \div 70}$

$\underset{8}{720 \div 90} \bigcirc{<} \underset{9}{720 \div 80}$

$\underset{18}{720 \div 40} \bigcirc{=} \underset{18}{540 \div 30}$

$\underset{27}{540 \div 20} \bigcirc{<} \underset{28}{840 \div 30}$

3 빈칸에 알맞은 수를 쓰고, 나눗셈의 몫을 구하세요.

×60	1	2	3	4	5	6	7	8	9
	60	120	180	240	300	360	420	480	540

$420 \div 60 = 7$ 　　　$540 \div 60 = 9$

4 □ 안에 알맞은 수를 쓰세요.

$900 \div \boxed{30} = 600 \div 20$ 　　$630 \div 30 = 840 \div \boxed{40}$

5 어느 마을에서 재활용품을 모은 것입니다.

재활용품	헌책	빈병
모은 양	240권	450병

헌책을 40권씩 묶으려고 합니다. 헌책은 모두 몇 묶음이 될까요?

식 $240 \div 40 = 6$ 　　답 6 묶음

빈병을 30병씩 상자에 담으려고 합니다. 상자는 몇 개 필요할까요?

식 $450 \div 30 = 15$ 　　답 15 개

306 2일 나머지가 있는 몇십으로 나누기 C

곱셈을 이용하여 나눗셈의 몫을 어림하는 방법으로 나눗셈을 계산해 보고 검산해 봅시다.

$20 \times 7 = \boxed{140}$

$20 \times 8 = \boxed{160}$

$20 \times 9 = \boxed{180}$

$$20 \overline{)163}$$ 몫 $\boxed{8}$, 160, 나머지 3

검산 $20 \times \boxed{8} + \boxed{3} = \boxed{163}$

$20 \times 8 = 160$이므로 $163 \div 20$의 몫은 8일 것이라 어림하여 계산합니다.

$30 \times 5 = \boxed{150}$

$30 \times 6 = \boxed{180}$

$30 \times 7 = \boxed{210}$

$$30 \overline{)185}$$ 몫 $\boxed{6}$, 180, 나머지 5

검산 $30 \times \boxed{6} + \boxed{5} = \boxed{185}$

$40 \times 3 = \boxed{120}$

$40 \times 4 = \boxed{160}$

$40 \times 5 = \boxed{200}$

$$40 \overline{)178}$$ 몫 $\boxed{4}$, 160, 나머지 18

검산 $40 \times \boxed{4} + \boxed{18} = \boxed{178}$

$70 \times 7 = \boxed{490}$

$70 \times 8 = \boxed{560}$

$70 \times 9 = \boxed{630}$

$$70 \overline{)593}$$ 몫 $\boxed{8}$, 560, 나머지 33

검산 $70 \times \boxed{8} + \boxed{33} = \boxed{593}$

$$20 \overline{)84}$$ 몫 4, 80, 나머지 4 — 검산 $20 \times 4 + 4 = 84$

$$30 \overline{)95}$$ 몫 3, 90, 나머지 5 — 검산 $30 \times 3 + 5 = 95$

$$40 \overline{)88}$$ 몫 2, 80, 나머지 8 — 검산 $40 \times 2 + 8 = 88$

$$40 \overline{)352}$$ 몫 8, 320, 나머지 32 — 검산 $40 \times 8 + 32 = 352$

$$60 \overline{)526}$$ 몫 8, 480, 나머지 46 — 검산 $60 \times 8 + 46 = 526$

$$70 \overline{)619}$$ 몫 8, 560, 나머지 59 — 검산 $70 \times 8 + 59 = 619$

$$50 \overline{)207}$$ 몫 4, 200, 나머지 7 — 검산 $50 \times 4 + 7 = 207$

$$60 \overline{)439}$$ 몫 7, 420, 나머지 19 — 검산 $60 \times 7 + 19 = 439$

1 나눗셈을 하여 몫과 나머지를 쓰세요.

$354 \div 40 = \boxed{8} \cdots \boxed{34}$
$354 \div 50 = \boxed{7} \cdots \boxed{4}$
$354 \div 60 = \boxed{5} \cdots \boxed{54}$

$187 \div 20 = \boxed{9} \cdots \boxed{7}$
$187 \div 50 = \boxed{3} \cdots \boxed{37}$
$187 \div 90 = \boxed{2} \cdots \boxed{7}$

$285 \div 30 = \boxed{9} \cdots \boxed{15}$
$285 \div 60 = \boxed{4} \cdots \boxed{45}$
$285 \div 90 = \boxed{3} \cdots \boxed{15}$

$572 \div 60 = \boxed{9} \cdots \boxed{32}$
$572 \div 70 = \boxed{8} \cdots \boxed{12}$
$572 \div 80 = \boxed{7} \cdots \boxed{12}$

2 몫이 가장 작은 나눗셈에 ○표 하세요.

$570 \div 80 = 7 \cdots 10$ $322 \div 50 = 6 \cdots 22$ $\boxed{313 \div 60 = 5 \cdots 13}$ ○

3 나머지가 가장 큰 나눗셈에 △표 하세요.

$70 \overline{)631}$ $9 \cdots 1$ $20 \overline{)179}$ $8 \cdots 19$ △ $30 \overline{)225}$ $7 \cdots 15$

4 249쪽짜리 동화책을 하루에 30쪽씩 읽는다면 며칠 안에 모두 읽을 수 있는지 구하려고 합니다. 바르게 설명한 사람을 모두 찾아 이름을 쓰세요.

슬기: 나눗셈식을 세워 몫과 나머지를 구하면 $249 \div 30 = 8 \cdots 9$

정호: 몫이 8이니까 8일 만에 모두 읽을 수 있어.

승희: 30쪽씩 8일 동안 읽으면 9쪽이 남으므로 9일 만에 모두 읽을 수 있어.

준비: 나머지가 9이니까 9일 만에 모두 읽을 수 있어.

답: 슬기, 승희

5 준이네 동네에서는 한 달 동안 분리 배출을 하여 빈 깡통 270개를 모았습니다.

빈 깡통을 상자에 30개씩 담으면 가득 담은 상자는 몇 개가 될까요?

$270 \div 30 = 9$ $\boxed{9}$ 개

빈 깡통을 봉지에 40개씩 담으면 가득 담은 봉지는 몇 봉지이고 남은 깡통은 몇 개일까요?

$270 \div 40 = 6 \cdots 30$ $\boxed{6}$ 봉지, $\boxed{30}$ 개

6 서울에서 부산까지 승용차로 315분이 걸렸습니다. 315분은 몇 시간 몇 분일까요?

식 $315 \div 60 = 5 \cdots 15$ 답 $\boxed{5}$ 시간 $\boxed{15}$ 분

정답 및 해설 **3**

14·15쪽

3일 307 (두 자리 수)÷(두 자리 수)

(두 자리 수)÷(두 자리 수)의 계산 방법을 알아보고 검산하여 봅시다.

몫을 1 크게 → **5**

$$17\overline{)89} \quad 17\overline{)89}$$
$$\underline{6\,8} \quad \underline{8\,5}$$
$$2\,1 \quad 4$$

나머지가 나누는 수보다 큽니다.

검산 $17 \times \boxed{5} + \boxed{4} = \boxed{89}$

나머지가 나누는 수보다 클 때에는 몫을 1 크게 합니다.

몫을 1 작게 → **4**

$$16\overline{)72} \quad 16\overline{)72}$$
$$8\,0 \quad \underline{6\,4}$$
$$ \quad 8$$

뺄 수 없습니다.

검산 $16 \times \boxed{4} + \boxed{8} = \boxed{72}$

뺄 수 없을 때에는 몫을 1 작게 합니다.

몫을 1 크게 → **4**

$$15\overline{)68} \quad 15\overline{)68}$$
$$\underline{4\,5} \quad \underline{6\,0}$$
$$2\,3 \quad 8$$

검산 $15 \times \boxed{4} + \boxed{8} = \boxed{68}$

몫을 1 작게 → **4**

$$18\overline{)87} \quad 18\overline{)87}$$
$$9\,0 \quad \underline{7\,2}$$
$$ \quad 1\,5$$

검산 $18 \times \boxed{4} + \boxed{15} = \boxed{87}$

$$16\overline{)38}$$ 몫 2
$$\underline{3\,2}$$
$$6$$
검산 $16 \times 2 + 6 = 38$

$$21\overline{)85}$$ 몫 4
$$\underline{8\,4}$$
$$1$$
검산 $21 \times 4 + 1 = 85$

$$15\overline{)67}$$ 몫 4
$$\underline{6\,0}$$
$$7$$
검산 $15 \times 4 + 7 = 67$

$$15\overline{)80}$$ 몫 5
$$\underline{7\,5}$$
$$5$$
검산 $15 \times 5 + 5 = 80$

$$22\overline{)96}$$ 몫 4
$$\underline{8\,8}$$
$$8$$
검산 $22 \times 4 + 8 = 96$

$$19\overline{)78}$$ 몫 4
$$\underline{7\,6}$$
$$2$$
검산 $19 \times 4 + 2 = 78$

$$25\overline{)95}$$ 몫 3
$$\underline{7\,5}$$
$$2\,0$$
검산 $25 \times 3 + 20 = 95$

$$11\overline{)67}$$ 몫 6
$$\underline{6\,6}$$
$$1$$
검산 $11 \times 6 + 1 = 67$

16·17쪽

응용연산

1 빈칸에 몫과 나머지를 차례대로 쓰세요.

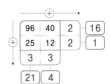

÷			
96	40	2	16
25	12	2	1
3	3		
21	4		

÷			
89	39	2	11
41	16	2	9
2	2		
7	7		

2 주어진 수 카드를 사용하여 가장 큰 두 자리 수와 가장 작은 두 자리 수를 각각 만들고 나눗셈을 하세요.

7 2 1 5	$\boxed{7}\,\boxed{5} \div \boxed{1}\,\boxed{2} = \boxed{6} \cdots \boxed{3}$
6 4 2 3	$\boxed{6}\,\boxed{4} \div \boxed{2}\,\boxed{3} = \boxed{2} \cdots \boxed{18}$
1 9 4 7	$\boxed{9}\,\boxed{7} \div \boxed{1}\,\boxed{4} = \boxed{6} \cdots \boxed{13}$
2 8 3 5	$\boxed{8}\,\boxed{5} \div \boxed{2}\,\boxed{3} = \boxed{3} \cdots \boxed{16}$

3 다음 중 바르게 계산한 것을 찾아 ○표 하세요.

$$12\overline{)63}$$ 몫 6
$$\underline{7\,2}$$
$$9$$

$$12\overline{)63}$$ 몫 4
$$\underline{4\,8}$$
$$1\,5$$

(○) $$12\overline{)63}$$ 몫 5
$$\underline{6\,0}$$
$$3$$

$$18\overline{)95}$$ 몫 3
$$\underline{5\,4}$$
$$4\,1$$

$$18\overline{)95}$$ 몫 4
$$\underline{7\,2}$$
$$2\,3$$

(○) $$18\overline{)95}$$ 몫 5
$$\underline{9\,0}$$
$$5$$

4 어느 서점에서 소설책 87권을 1칸에 17권씩 꽂고 남은 책은 진열하려고 합니다. 소설책은 최대 몇 칸에 꽂히게 되고 몇 권이 남을까요?

$$87 \div 17 = 5 \cdots 2 \qquad \boxed{5}\ 칸,\ \boxed{2}\ 권$$

5 연필 78자루를 한 상자에 1타씩 포장하여 팔려고 합니다. 연필은 최대 몇 상자까지 팔 수 있을까요? 단, 연필 1타는 12자루입니다.

$$78 \div 12 = 6 \cdots 6 \qquad \boxed{6}\ 상자$$

308 4일 C

나눗셈 문제 해결

곱셈식을 이용하여 몫과 나머지를 구해 봅시다.

$17 \times 5 = 85$
$85 \div 17 = \boxed{5}$
$\quad + \boxed{4}$
$89 \div 17 = \boxed{5} \cdots \boxed{4}$

85÷17은 나머지가 없으므로 나누어집니다
나누어지는 수가 85보다 4 크므로 나머지는 4가 됩니다.

$12 \times 6 = 72$
$72 \div 12 = \boxed{6}$
$\quad + \boxed{5}$
$77 \div 12 = \boxed{6} \cdots \boxed{5}$

$23 \times 4 = 92$
$92 \div 23 = \boxed{4}$
$\quad + \boxed{3}$
$95 \div 23 = \boxed{4} \cdots \boxed{3}$

$15 \times 5 = 75$
$75 \div 15 = \boxed{5}$
$\quad + \boxed{7}$
$82 \div 15 = \boxed{5} \cdots \boxed{7}$

$13 \times 6 = 78$
$78 \div 13 = \boxed{6}$
$\quad + \boxed{12}$
$90 \div 13 = \boxed{6} \cdots \boxed{12}$

$16 \times 6 = 96$
$96 \div 16 = \boxed{6}$
$\quad + \boxed{1}$
$97 \div 16 = \boxed{6} \cdots \boxed{1}$

$21 \times 4 = 84$
$84 \div 21 = \boxed{4}$
$\quad + \boxed{15}$
$99 \div 21 = \boxed{4} \cdots \boxed{15}$

$13 \times 4 = 52$
$58 \div 13 = \boxed{4} \cdots \boxed{6}$

주어진 곱셈식을 이용하여 나눗셈의 몫과 나머지를 구하세요.

$12 \times 8 = 96$
$99 \div 12 = \boxed{8} \cdots \boxed{3}$

$15 \times 3 = 45$
$51 \div 15 = \boxed{3} \cdots \boxed{6}$

$13 \times 7 = 91$
$99 \div 13 = \boxed{7} \cdots \boxed{8}$

$14 \times 5 = 70$
$73 \div 14 = \boxed{5} \cdots \boxed{3}$

$24 \times 4 = 96$
$98 \div 24 = \boxed{4} \cdots \boxed{2}$

$31 \times 3 = 93$
$97 \div 31 = \boxed{3} \cdots \boxed{4}$

$11 \times 7 = 77$
$81 \div 11 = \boxed{7} \cdots \boxed{4}$

$16 \times 5 = 80$
$92 \div 16 = \boxed{5} \cdots \boxed{12}$

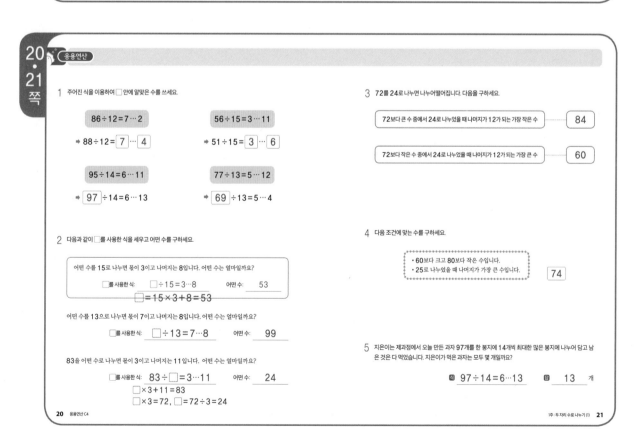

응용연산

1 주어진 식을 이용하여 ☐ 안에 알맞은 수를 쓰세요.

$86 \div 12 = 7 \cdots 2$
➡ $88 \div 12 = \boxed{7} \cdots \boxed{4}$

$56 \div 15 = 3 \cdots 11$
➡ $51 \div 15 = \boxed{3} \cdots \boxed{6}$

$95 \div 14 = 6 \cdots 11$
➡ $\boxed{97} \div 14 = 6 \cdots 13$

$77 \div 13 = 5 \cdots 12$
➡ $\boxed{69} \div 13 = 5 \cdots 4$

2 다음과 같이 ☐를 사용한 식을 세우고 어떤 수를 구하세요.

어떤 수를 15로 나누면 몫이 3이고 나머지는 8입니다. 어떤 수는 얼마일까요?

☐를 사용한 식: $\boxed{\square \div 15 = 3 \cdots 8}$ 어떤 수: $\boxed{53}$
$\boxed{\square = 15 \times 3 + 8 = 53}$

어떤 수를 13으로 나누면 몫이 7이고 나머지는 8입니다. 어떤 수는 얼마일까요?

☐를 사용한 식: $\boxed{\square \div 13 = 7 \cdots 8}$ 어떤 수: $\boxed{99}$

83을 어떤 수로 나누면 몫이 3이고 나머지는 11입니다. 어떤 수는 얼마일까요?

☐를 사용한 식: $\boxed{83 \div \square = 3 \cdots 11}$ 어떤 수: $\boxed{24}$
$\square \times 3 + 11 = 83$
$\square \times 3 = 72, \square = 72 \div 3 = 24$

3 72를 24로 나누면 나누어떨어집니다. 다음을 구하세요.

72보다 큰 수 중에서 24로 나누었을 때 나머지가 12가 되는 가장 작은 수 $\boxed{84}$

72보다 작은 수 중에서 24로 나누었을 때 나머지가 12가 되는 가장 큰 수 $\boxed{60}$

4 다음 조건에 맞는 수를 구하세요.

· 60보다 크고 80보다 작은 수입니다.
· 25로 나누었을 때 나머지가 가장 큰 수입니다.

$\boxed{74}$

5 지은이는 제과점에서 오늘 만든 과자 97개를 한 봉지에 14개씩 최대한 많은 봉지에 나누어 담고 남은 것은 다 먹었습니다. 지은이가 먹은 과자는 모두 몇 개일까요?

식 $\underline{97 \div 14 = 6 \cdots 13}$ 답 $\underline{13}$ 개

형성평가

1 나눗셈을 하세요.

$650 \div 50 = 13$ $480 \div 40 = 12$ $640 \div 40 = 16$

$$20 \overline{)\ 3\ 4\ 0}\quad \begin{array}{c}1\ 7\end{array}$$

$$70 \overline{)\ 7\ 7\ 0}\quad \begin{array}{c}1\ 1\end{array}$$

$$30 \overline{)\ 6\ 3\ 0}\quad \begin{array}{c}2\ 1\end{array}$$

2 몫의 크기를 비교하여 ○ 안에 >, =, <를 알맞게 쓰세요.

$80 \div 4 \;(=)\; 800 \div 40$
   20   20

$60 \div 4 \;(=)\; 600 \div 40$
   15   15

$350 \div 50 \;(>)\; 350 \div 70$
    7   5

$480 \div 60 \;(>)\; 480 \div 80$
    8   6

$640 \div 80 \;(<)\; 450 \div 50$
    8   9

$180 \div 30 \;(>)\; 280 \div 70$
    6   4

3 몫이 가장 큰 나눗셈에 ○표, 나머지가 가장 큰 나눗셈에 △표 하세요.

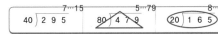

$$40 \overline{)\ 2\ 9\ 5}\quad ^{7\cdots 15} \qquad 80 \overline{)\ 4\ 7\ 9}\quad ^{5\cdots 79} \qquad 20 \overline{)\ 1\ 6\ 5}\quad ^{8\cdots 5}$$

4 민준이가 410쪽짜리 책을 매일 30쪽씩 읽습니다. 책을 남김없이 모두 읽으려면 며칠이 걸릴까요? 또 마지막 날에는 몇 쪽을 읽게 될까요?

$410 \div 30 = 13 \cdots 20$ __14__ 일,   __20__ 쪽

5 나눗셈을 하고 검산을 하세요.

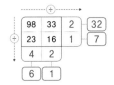

$$17 \overline{)\ 6\ 3}\quad \begin{array}{c}3\\ 5\ 1\\ \hline 1\ 2\end{array}$$

검산 $17 \times 3 + 12 = 63$

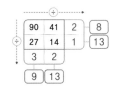

$$24 \overline{)\ 8\ 5}\quad \begin{array}{c}3\\ 7\ 2\\ \hline 1\ 3\end{array}$$

검산 $24 \times 3 + 13 = 85$

6 빈칸에 몫과 나머지를 차례대로 쓰세요.

÷			
98	33	2	32
23	16	1	7
4	2		
6	1		

÷			
90	41	2	8
27	14	1	13
3	2		
9	13		

7 주어진 식을 이용하여 □ 안에 알맞은 수를 쓰세요.

$\begin{cases} 33 \times 4 = 132 \\ 135 \div 33 = \boxed{4} \cdots \boxed{3} \end{cases}$

$\begin{cases} 22 \times 6 = 132 \\ 150 \div 22 = \boxed{6} \cdots \boxed{18} \end{cases}$

$\begin{cases} 14 \times 8 = 112 \\ 121 \div 14 = \boxed{8} \cdots \boxed{9} \end{cases}$

$\begin{cases} 18 \times 7 = 126 \\ 143 \div 18 = \boxed{7} \cdots \boxed{17} \end{cases}$

8 80을 16으로 나누면 나누어떨어집니다. 다음을 구하세요.

80보다 큰 수 중에서 16으로 나누었을 때 나머지가 8이 되는 가장 작은 수	88

80보다 작은 수 중에서 16으로 나누었을 때 나머지가 8이 되는 가장 큰 수	72

9 어떤 자연수를 11로 나누었을 때, 나올 수 있는 나머지를 모두 합하면 얼마일까요?

$1+2+3+4+5+6+7+8+9+10$ 55

두 자리 수로 나누기 (2)

26·27쪽

309 몫이 한 자리 수인 (세 자리 수)÷(두 자리 수)

개념원리

몫이 한 자리 수인 (세 자리 수)÷(두 자리 수)의 계산 방법을 알아보고 검산하여 봅시다.

```
          4       몫을 1 크게      5
    65 ) 3 4 9         65 ) 3 4 9      검산  65 × 5 + 24 = 349
         2 6 0              3 2 5
           8 9                2 4
```
나머지가 나누는 수보다 큽니다.   나머지가 나누는 수보다 클 때에는 몫을 1 크게 합니다.

```
          8       몫을 1 작게      7
    38 ) 2 8 3         38 ) 2 8 3      검산  38 × 7 + 17 = 283
         3 0 4              2 6 6
                              1 7
```
뺄 수 없습니다.   뺄 수 없을 때에는 몫을 1 작게 합니다.

```
          5       몫을 1 크게      6
    26 ) 1 6 1         26 ) 1 6 1      검산  26 × 6 + 5 = 161
         1 3 0              1 5 6
           3 1                  5
```

```
          8       몫을 1 작게      7
    54 ) 4 1 6         54 ) 4 1 6      검산  54 × 7 + 38 = 416
         4 3 2              3 7 8
                              3 8
```

```
          5
    52 ) 3 0 0
         2 6 0
           4 0
```
검산 52 × 5 + 40 = 300

```
          6
    26 ) 1 8 0
         1 5 6
           2 4
```
검산 26 × 6 + 24 = 180

```
          7
    33 ) 2 6 0
         2 3 1
           2 9
```
검산 33 × 7 + 29 = 260

```
          5
    24 ) 1 3 5
         1 2 0
           1 5
```
검산 24 × 5 + 15 = 135

```
          7
    41 ) 2 9 2
         2 8 7
             5
```
검산 41 × 7 + 5 = 292

```
          8
    37 ) 3 0 3
         2 9 6
             7
```
검산 37 × 8 + 7 = 303

```
          8
    38 ) 3 2 1
         3 0 4
           1 7
```
검산 38 × 8 + 17 = 321

```
          6
    63 ) 4 2 2
         3 7 8
           4 4
```
검산 63 × 6 + 44 = 422

28·29쪽

응용연산

1 관계있는 것끼리 선으로 이으세요.

```
          7
    72 ) 6 0 9
         5 0 4
```
곱한 값이 나누어지는 수보다 크므로 뺄 수 없습니다. — 몫을 1 크게 합니다.

```
          9
    33 ) 2 9 5
         2 9 7
```
나머지가 나누는 수보다 큽니다. — 몫을 1 작게 합니다.

3 주어진 수 카드를 한 번씩 사용하여 (세 자리 수)÷(두 자리 수)의 나눗셈을 만들려고 합니다. 몫이 가장 작은 나눗셈식을 만들고 몫과 나머지를 구하세요. 단, 나머지는 50보다 작습니다.

```
1  8  6  4  3
```

1 3 4 ÷ 8 6 = 1 … 48

4 꽃 1 송이를 만드는 데 색 테이프 35 cm가 필요하다고 합니다. 길이가 250 cm인 색 테이프로 꽃을 최대한 많이 만든다면 꽃은 몇 송이를 만들 수 있고, 남는 색 테이프는 몇 cm일까요?

250 ÷ 35 = 7 … 5   7 송이, 5 cm

2 ●안의 수를 ◯안의 수로 나누어 빈 곳에 몫과 나머지를 쓰세요.

5 성식이네 학교 학생 157명이 합동 체육 시간에 짝짓기 놀이를 하고 있습니다. 18명씩 짝을 지을 때 짝을 짓지 못한 학생은 몇 명일까요?

식 157 ÷ 18 = 8 … 13   답 13 명

6 밤 175 kg을 한 상자에 24 kg씩 포장하여 팔려고 합니다. 밤은 몇 상자까지 팔 수 있을까요?

식 175 ÷ 24 = 7 … 7   답 7 상자

310 몫이 두 자리 수인 (세 자리 수)÷(두 자리 수) (1)

나머지가 없는 (세 자리 수)÷(두 자리 수)의 나눗셈을 알아보고 검산을 해 봅시다.

```
        2 3
   24 ) 5 5 2
        4 8      ← 24×2
        7 2      ← 552-480
        7 2      ← 24×3
          0
```
➡ 552÷24 = 23
검산 24×23=552

```
        1 8
   38 ) 6 8 4
        3 8      ← 38×1
        3 0 4    ← 684-380
        3 0 4    ← 38×8
            0
```
➡ 684÷38 = 18
검산 38×18=684

```
        2 7
   13 ) 3 5 1
        2 6
        9 1
        9 1
          0
```
➡ 351÷13 = 27
검산 13×27=351

```
        3 6
   18 ) 6 4 8
        5 4
        1 0 8
        1 0 8
            0
```
➡ 648÷18 = 36
검산 18×36=648

```
        2 5
   16 ) 4 0 0
        3 2
        8 0
        8 0
          0
```
검산 16×25=400

```
        2 4
   35 ) 8 4 0
        7 0
        1 4 0
        1 4 0
            0
```
검산 35×24=840

```
        2 8
   24 ) 6 7 2
        4 8
        1 9 2
        1 9 2
            0
```
검산 24×28=672

```
        1 9
   32 ) 6 0 8
        3 2
        2 8 8
        2 8 8
            0
```
검산 32×19=608

```
        3 1
   27 ) 8 3 7
        8 1
        2 7
        2 7
          0
```
검산 27×31=837

```
        2 3
   39 ) 8 9 7
        7 8
        1 1 7
        1 1 7
            0
```
검산 39×23=897

30 응용연산 C4

2주 : 두 자리 수로 나누기 (2) 31

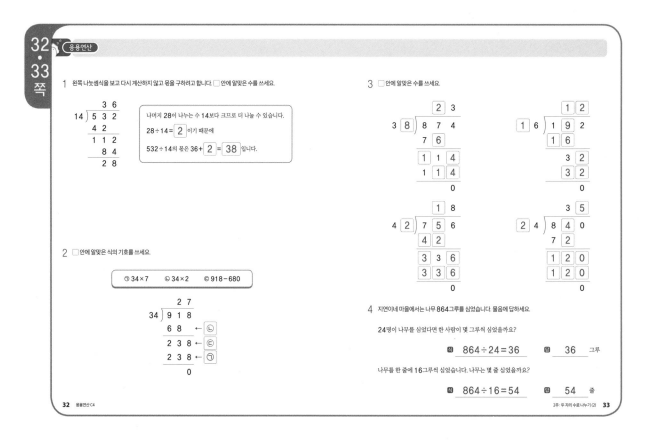

1 왼쪽 나눗셈식을 보고 다시 계산하지 않고 몫을 구하려고 합니다. □ 안에 알맞은 수를 쓰세요.

```
        3 6
   14 ) 5 3 2
        4 2
        1 1 2
          8 4
          2 8
```

나머지 28이 나누는 수 14보다 크므로 더 나눌 수 있습니다.
28÷14 = 2 이기 때문에
532÷14의 몫은 36+ 2 = 38 입니다.

2 □ 안에 알맞은 식의 기호를 쓰세요.

⊙ 34×7   ⓒ 34×2   ⓒ 918-680

```
        2 7
   34 ) 9 1 8
        6 8   ← ⓒ
        2 3 8 ← ⓒ
        2 3 8 ← ⊙
            0
```

3 □ 안에 알맞은 수를 쓰세요.

```
           2 3
   3 8 ) 8 7 4
          7 6
          1 1 4
          1 1 4
              0
```

```
           1 2
   1 6 ) 1 9 2
          1 6
            3 2
            3 2
              0
```

```
           1 8
   4 2 ) 7 5 6
          4 2
          3 3 6
          3 3 6
              0
```

```
           3 5
   2 4 ) 8 4 0
          7 2
          1 2 0
          1 2 0
              0
```

4 지연이네 마을에서는 나무 864그루를 심었습니다. 물음에 답하세요.

24명이 나무를 심었다면 한 사람이 몇 그루씩 심었을까요?

식 864÷24=36   답 36 그루

나무를 한 줄에 16그루씩 심었습니다. 나무는 몇 줄 심었을까요?

식 864÷16=54   답 54 줄

32 응용연산 C4

2주 : 두 자리 수로 나누기 (2) 33

311 ③월 C 몫이 두 자리 수인 (세 자리 수)÷(두 자리 수) (2)

개념원리

(세 자리 수)÷(두 자리 수)의 나눗셈을 알아보고 검산을 해 봅시다.

```
        3 4
18 ) 6 1 9
     5 4    ← 18×3
     7 9    ← 619−540
     7 2    ← 18×4
       7    ← 79−72
```

➡ 619÷18 = 34 ··· 7

검산 18× 34 + 7 = 619

```
        2 2
26 ) 5 9 3
     5 2
     7 3
     5 2
     2 1
```

➡ 593÷26 = 22 ··· 21

검산 26× 22 + 21 = 593

```
        2 5
32 ) 8 1 7
     6 4
   1 7 7
   1 6 0
     1 7
```

➡ 817÷32 = 25 ··· 17

검산 32× 25 + 17 = 817

```
        1 9
16 ) 3 1 2
     1 6
   1 5 2
   1 4 4
       8
```

검산 16×19+8=312

```
        2 4
33 ) 8 0 9
     6 6
   1 4 9
   1 3 2
     1 7
```

검산 33×24+17=809

```
        2 3
34 ) 7 9 5
     6 8
   1 1 5
   1 0 2
     1 3
```

검산 34×23+13=795

```
        2 1
46 ) 9 9 3
     9 2
       7 3
       4 6
       2 7
```

검산 46×21+27=993

```
        2 5
15 ) 3 7 6
     3 0
       7 6
       7 5
         1
```

검산 15×25+1=376

```
        1 3
68 ) 9 3 7
     6 8
     2 5 7
     2 0 4
       5 3
```

검산 68×13+53=937

응용연산

1 곱셈을 하여 표를 완성하고 표를 이용하여 □안에 알맞은 수를 쓰세요.

×17	10	20	30	40	50
	170	340	510	680	850

294÷17의 몫은 10 보다 크고 20 보다 작으므로 몫의 십의 자리 숫자는 1 입니다.

489÷17의 몫은 20 보다 크고 30 보다 작으므로 몫의 십의 자리 숫자는 2 입니다.

732÷17의 몫은 40 보다 크고 50 보다 작으므로 몫의 십의 자리 숫자는 4 입니다.

2 □안에 알맞은 수를 쓰세요.

```
          2 7
3 3 ) 9 1 8
      6 6
      2 5 8
      2 3 1
        2 7
```

```
          1 8
2 3 ) 4 2 0
      2 3
      1 9 0
      1 8 4
          6
```

3 주어진 수 카드를 한 번씩 사용하여 (세 자리 수)÷(두 자리 수)의 나눗셈식을 만들려고 합니다. 몫이 가장 큰 나눗셈식을 만들고 몫과 나머지를 구하세요. 단, 나머지는 20보다 큽니다.

[7] [3] [8] [2] [9]

9 8 7 ÷ 2 3 = 42 ··· 21

4 258÷16과 나누는 수와 나머지가 같고 몫이 10이 더 큰 나눗셈식을 만드세요.

258÷16=16…2   418÷16=26…2

5 배 867개를 한 상자에 24개씩 담아 포장하였습니다. 배를 최대한 많이 포장하고 남은 배는 몇 개일까요?

식 867÷24=36…3   답 3 개

6 효탁이네 학교 학생 571명이 버스를 타고 수학 체험전에 가려고 합니다. 버스 한 대에 43명씩 탈 수 있다면 버스는 최소 몇 대 필요할까요?

식 571÷43=13…12   답 14 대

정답 및 해설 **9**

38·39쪽

312 나눗셈 종합

개념원리

여러 가지 나눗셈을 하는 방법을 알아봅시다.

```
        3
23 ) 7 9
     6 9
     1 0
```

```
        5
37 ) 1 9 9
     1 8 5
       1 4
```

```
      1 9
29 ) 5 7 4
     2 9
     2 8 4
     2 6 1
       2 3
```

두 자리 수를 두 자리 수로 나누면 몫은 한 자리 수입니다.

세 자리 수 중 왼쪽 두 자리 수(19)가 나누는 수(37)보다 작으므로 몫이 한 자리 수입니다.

세 자리 수 중 왼쪽 두 자리 수(57)가 나누는 수(29)보다 크므로 몫이 두 자리 수입니다.

```
        2
23 ) 6 6
     4 6
     2 0
```

```
        7
28 ) 2 1 7
     1 9 6
       2 1
```

```
      1 0
31 ) 3 1 1
     3 1
       1
```

```
        4
19 ) 9 1
     7 6
     1 5
```

```
        6
62 ) 4 1 5
     3 7 2
       4 3
```

```
      2 0
27 ) 5 6 2
     5 4
       2 2
```

```
        3
30 ) 9 0
     9 0
     0
```
검산 $30 \times 3 = 90$

```
        4
21 ) 9 4
     8 4
     1 0
```
검산 $21 \times 4 + 10 = 94$

```
      1 6
40 ) 6 4 0
     4 0
     2 4 0
     2 4 0
         0
```
검산 $40 \times 16 = 640$

```
        6
42 ) 2 6 0
     2 5 2
         8
```
검산 $42 \times 6 + 8 = 260$

```
      2 0
19 ) 3 9 8
     3 8
       1 8
```
검산 $19 \times 20 + 18 = 398$

```
      2 3
34 ) 7 8 5
     6 8
     1 0 5
     1 0 2
         3
```
검산 $34 \times 23 + 3 = 785$

40·41쪽

응용연산

1 빈칸에 알맞은 수를 쓰세요.

540	90	6
60	15	4
9	6	

785	96	8	[17]
58	23	2	[12]
13	4		

[31] [4]

2 다음을 바르게 계산하여 답을 구하세요.

437에 어떤 수를 곱해야 하는데 잘못하여 437을 어떤 수로 나누었더니 몫이 13이고 나머지가 8이었습니다.

잘못된 식: $437 \div \square = 13 \cdots 8$ 어떤 수: **33**

$\square \times 13 + 8 = 437$, $\square \times 13 = 429$, $\square = 429 \div 13 = 33$

바르게 계산하기: $437 \times 33 = 14421$ 답 **14421**

어떤 수에 62를 곱해야 하는데 잘못하여 어떤 수를 62로 나누었더니 몫이 11이고 나머지가 26이었습니다.

잘못된 식: $\square \div 62 = 11 \cdots 26$ 어떤 수: **708**

바르게 계산하기: $708 \times 62 = 43896$ 답 **43896**

3 몫이 두 자리 수인 나눗셈을 모두 찾아 ○표 하세요.

44 > 34

98 ÷ 65	(442 ÷ 34)	784 ÷ 98
(299 ÷ 19)	297 ÷ 33	85 ÷ 12

29 > 19

4 수 카드를 한 번씩만 사용하여 다음 나눗셈식을 만들고 몫과 나머지를 구하세요.

[2] [3] [4] [5] [7]

몫이 가장 큰 (세 자리 수) ÷ (두 자리 수)
$754 \div 23 = 32 \cdots 18$

몫이 32인 나눗셈을 만들었다면 정답으로 인정합니다.

몫이 가장 작은 (세 자리 수) ÷ (두 자리 수)
$234 \div 75 = 3 \cdots 9$

몫이 3인 나눗셈을 만들었다면 정답으로 인정합니다.

5 다음 나눗셈식에서 같은 모양은 같은 숫자, 다른 모양은 다른 숫자를 나타냅니다. 각 모양이 나타내는 숫자를 구하세요. (단, ◆ + ♣ = 8입니다.)

```
              7
◆ ♣ ) ♣ ♥ ♣ ♣
        ♣ 4 ♣
        ♣ 4
        ♣ 4
```

♣ = **5** , ◆ = **3**

♠ = **2** , ♥ = **6**

♣ = **9**

♣ × 7의 일의 자리 숫자가 ♣인 숫자를 먼저 찾아보면 ♣ = 5입니다.

◆, ♠, ♥, ♣의 순서로 구합니다.

형성평가

42·43 쪽 5일

1 나눗셈을 하고 검산을 하세요.

$$64) \overline{451}$$ 몫 7, 448, 나머지 3

$$26) \overline{518}$$ 몫 19, 26, 258, 234, 나머지 24

검산 $64 \times 7 + 3 = 451$

검산 $26 \times 19 + 24 = 518$

2 사탕 231개를 한 봉지에 38개씩 넣어 포장하려 합니다. 사탕은 최대 몇 봉지를 만들 수 있고, 남은 사탕은 몇 개일까요?

$$231 \div 38 = 6 \cdots 3 \qquad \underline{6} \ \text{봉지}, \ \underline{3} \ \text{개}$$

3 몫이 한 자리 수인 나눗셈을 모두 찾아 ○표 하세요.

(75÷31)	(405÷41)	189÷18
323÷26	(78÷39)	515÷50

4 □안에 알맞은 수를 쓰세요.

$$27) \overline{999}$$ 몫 $3\boxed{7}$, $8\boxed{1}$, $\boxed{1}\boxed{8}\boxed{9}$, $\boxed{1}\boxed{8}\boxed{9}$, 0

$$3\boxed{4}) \overline{544}$$ 몫 16, $\boxed{3}\boxed{4}$, $\boxed{2}\boxed{0}\boxed{4}$, $\boxed{2}\boxed{0}\boxed{4}$, 0

5 윤석이네 학교 학생들이 버스 6대에 28명씩 타고 수학 여행을 갔습니다. 한 방에 14명씩 사용하면 모두 몇 개의 방이 필요할까요?

$$6 \times 28 \div 14 = 12 \qquad \underline{12} \ \text{개}$$

6 주어진 수 카드를 한 번씩 사용하여 (세 자리 수)÷(두 자리 수)의 나눗셈을 만들려고 합니다. 몫이 가장 큰 나눗셈식을 만들고 몫과 나머지를 구하세요. 단, 나머지는 30보다 큽니다.

$$\boxed{6} \ \boxed{5} \ \boxed{7} \ \boxed{9} \ \boxed{3}$$

$$\boxed{9}\boxed{7}\boxed{6} \div \boxed{3}\boxed{5} = \boxed{27} \cdots \boxed{31}$$

44 쪽

7 어떤 기계는 한 번 충전하면 432시간 동안 작동한다고 합니다. 기계가 작동하는 시간은 며칠일까요?

$$432 \div 24 = 18 \qquad \underline{18} \ \text{일}$$

8 빈칸에 알맞은 수를 쓰세요.

÷		
480	80	6
120	40	3
4	2	

÷			
527	84	6	23
99	24	4	3
5	3		
	32	12	

9 처음으로 비행기가 태평양을 횡단하는 데 997분이 걸렸다고 합니다. 이때 걸린 시간은 몇 시간 몇 분일까요?

$$997 \div 60 = 16 \cdots 37 \qquad \underline{16} \ \text{시간} \ \underline{37} \ \text{분}$$

큰 수

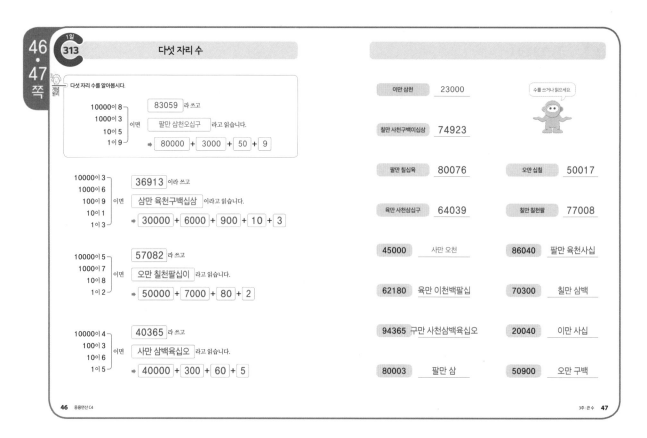

1일 313 다섯 자리 수

다섯 자리 수를 알아봅시다.

10000이 8
1000이 3 | 83059 | 라 쓰고
10이 5
1이 9   이면 | 팔만 삼천오십구 | 라고 읽습니다.
→ | 80000 | + | 3000 | + | 50 | + | 9 |

10000이 3
1000이 6 | 36913 | 이라 쓰고
100이 9   이면 | 삼만 육천구백십삼 | 이라고 읽습니다.
10이 1
1이 3   → | 30000 | + | 6000 | + | 900 | + | 10 | + | 3 |

10000이 5
1000이 7 | 57082 | 라 쓰고
10이 8   이면 | 오만 칠천팔십이 | 라고 읽습니다.
1이 2   → | 50000 | + | 7000 | + | 80 | + | 2 |

10000이 4
100이 3 | 40365 | 라 쓰고
10이 6   이면 | 사만 삼백육십오 | 라고 읽습니다.
1이 5   → | 40000 | + | 300 | + | 60 | + | 5 |

수를 쓰거나 읽으세요.

이만 삼천	23000
칠만 사천구백이십삼	74923
팔만 칠십육	80076		오만 십칠	50017
육만 사천삼십구	64039		칠만 칠천팔	77008
45000	사만 오천		86040	팔만 육천사십
62180	육만 이천백팔십		70300	칠만 삼백
94365	구만 사천삼백육십오		20040	이만 사십
80003	팔만 삼		50900	오만 구백

응용연산

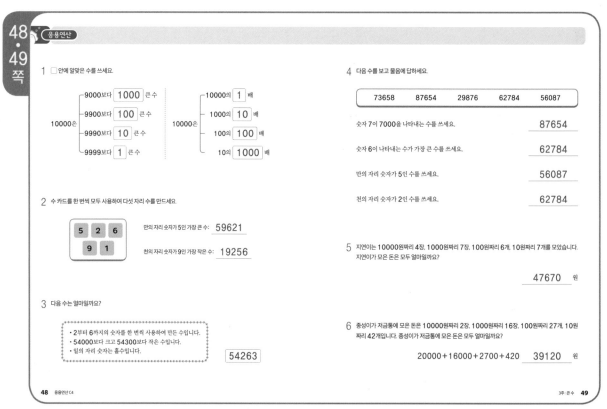

1 □안에 알맞은 수를 쓰세요.

10000은
- 9000보다 | 1000 | 큰 수
- 9900보다 | 100 | 큰 수
- 9990보다 | 10 | 큰 수
- 9999보다 | 1 | 큰 수

10000은
- 10000의 | 1 | 배
- 1000의 | 10 | 배
- 100의 | 100 | 배
- 10의 | 1000 | 배

2 수 카드를 한 번씩 모두 사용하여 다섯 자리 수를 만드세요.

5 2 6
9 1

만의 자리 숫자가 5인 가장 큰 수: 59621

천의 자리 숫자가 9인 가장 작은 수: 19256

3 다음 수는 얼마일까요?

- 2부터 6까지의 숫자를 한 번씩 사용하여 만든 수입니다.
- 54000보다 크고 54300보다 작은 수입니다.
- 일의 자리 숫자는 홀수입니다.

54263

4 다음 수를 보고 물음에 답하세요.

| 73658 | 87654 | 29876 | 62784 | 56087 |

숫자 7이 7000을 나타내는 수를 쓰세요. → 87654

숫자 6이 나타내는 수가 가장 큰 수를 쓰세요. → 62784

만의 자리 숫자가 5인 수를 쓰세요. → 56087

천의 자리 숫자가 2인 수를 쓰세요. → 62784

5 지연이는 10000원짜리 4장, 1000원짜리 7장, 100원짜리 6개, 10원짜리 7개를 모았습니다. 지연이가 모은 돈은 모두 얼마일까요?

47670 원

6 종성이가 저금통에 모은 돈은 10000원짜리 2장, 1000원짜리 16장, 100원짜리 27개, 10원짜리 42개입니다. 종성이가 저금통에 모은 돈은 모두 얼마일까요?

20000+16000+2700+420   39120 원

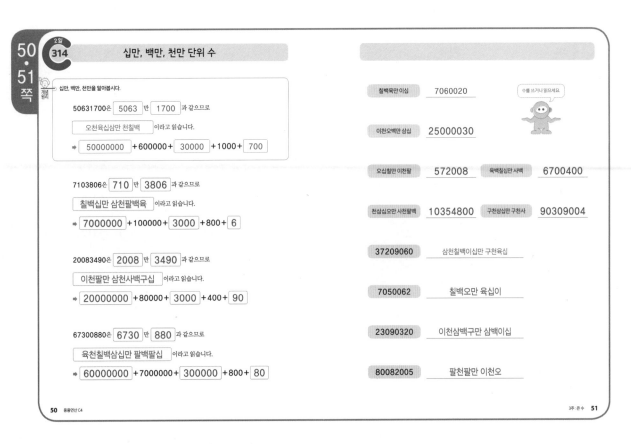

314 십만, 백만, 천만 단위 수

2일

십만, 백만, 천만을 알아봅시다.

50631700은 **5063** 만 **1700** 과 같으므로

오천육십삼만 천칠백 이라고 읽습니다.

➡ **50000000** +600000+ **30000** +1000+ **700**

7103806은 **710** 만 **3806** 과 같으므로

칠백십만 삼천팔백육 이라고 읽습니다.

➡ **7000000** +100000+ **3000** +800+ **6**

20083490은 **2008** 만 **3490** 과 같으므로

이천팔만 삼천사백구십 이라고 읽습니다.

➡ **20000000** +80000+ **3000** +400+ **90**

67300880은 **6730** 만 **880** 과 같으므로

육천칠백삼십만 팔백팔십 이라고 읽습니다.

➡ **60000000** +7000000+ **300000** +800+ **80**

칠백육만 이십	7060020
이천오백만 삼십	25000030
오십칠만 이천팔	572008
육백칠십만 사백	6700400
천삼십오만 사천팔백	10354800
구천삼십만 구천사	90309004
37209060	삼천칠백이십만 구천육십
7050062	칠백오만 육십이
23090320	이천삼백구만 삼백이십
80082005	팔천팔만 이천오

수를 쓰거나 읽으세요.

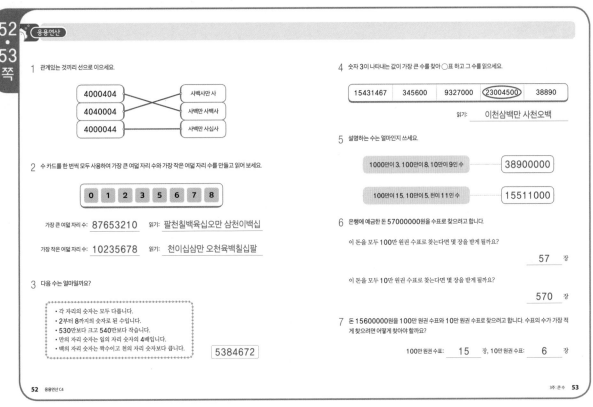

응용연산

1 관계있는 것끼리 선으로 이으세요.

4000404 ─ 사백사만 사
4040004 ─ 사백만 사백사
4000044 ─ 사백만 사십사

2 수 카드를 한 번씩 모두 사용하여 가장 큰 여덟 자리 수와 가장 작은 여덟 자리 수를 만들고 읽어 보세요.

0 1 2 3 5 6 7 8

가장 큰 여덟 자리 수: **87653210** 읽기: **팔천칠백육십오만 삼천이백십**

가장 작은 여덟 자리 수: **10235678** 읽기: **천이십삼만 오천육백칠십팔**

3 다음 수는 얼마일까요?

- 각 자리의 숫자는 모두 다릅니다.
- 2부터 8까지의 숫자로 된 수입니다.
- 530만보다 크고 540만보다 작습니다.
- 만의 자리 숫자는 일의 자리 숫자의 4배입니다.
- 백의 자리 숫자는 짝수이고 천의 자리 숫자보다 큽니다.

5384672

4 숫자 3이 나타내는 값이 가장 큰 수를 찾아 ○표 하고 그 수를 읽으세요.

15431467 345600 9327000 (23004500) 38890

읽기: **이천삼백만 사천오백**

5 설명하는 수는 얼마인지 쓰세요.

1000만이 3, 100만이 8, 10만이 9인 수 → **38900000**

100만이 15, 10만이 5, 천이 11인 수 → **15511000**

6 은행에 예금한 돈 57000000원을 수표로 찾으려고 합니다.

이 돈을 모두 100만 원권 수표로 찾는다면 몇 장을 받게 될까요?

57 장

이 돈을 모두 10만 원권 수표로 찾는다면 몇 장을 받게 될까요?

570 장

7 돈 15600000원을 100만 원권 수표와 10만 원권 수표로 찾으려고 합니다. 수표의 수가 가장 적게 찾으려면 어떻게 찾아야 할까요?

100만 원권 수표: **15** 장, 10만 원권 수표: **6** 장

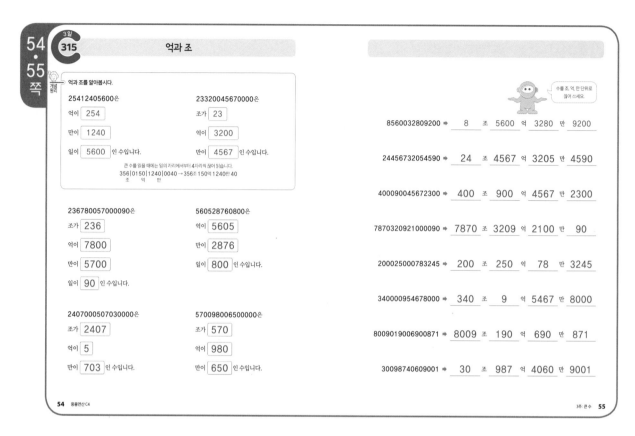

54·55쪽

3일 315 C **억과 조**

억과 조를 알아봅시다.

25412405600은
억이 254
만이 1240
일이 5600 인 수입니다.

23320045670000은
조가 23
억이 3200
만이 4567 인 수입니다.

큰 수를 읽을 때에는 일의 자리에서부터 4자리씩 끊어 읽습니다.
356|0150|1240|0040→356조 150억 1240만 40
조   억   만

236780057000090은
조가 236
억이 7800
만이 5700
일이 90 인 수입니다.

560528760800은
억이 5605
만이 2876
일이 800 인 수입니다.

2407000507030000은
조가 2407
억이 5
만이 703 인 수입니다.

570098006500000은
조가 570
억이 980
만이 650 인 수입니다.

수를 조, 억, 만 단위로 끊어 쓰세요.

8560032809200 ➡ 8 조 5600 억 3280 만 9200

24456732054590 ➡ 24 조 4567 억 3205 만 4590

400090045672300 ➡ 400 조 900 억 4567 만 2300

7870320921000090 ➡ 7870 조 3209 억 2100 만 90

200025000783245 ➡ 200 조 250 억 78 만 3245

340000954678000 ➡ 340 조 9 억 5467 만 8000

8009019006900871 ➡ 8009 조 190 억 690 만 871

30098740609001 ➡ 30 조 987 억 4060 만 9001

56·57쪽

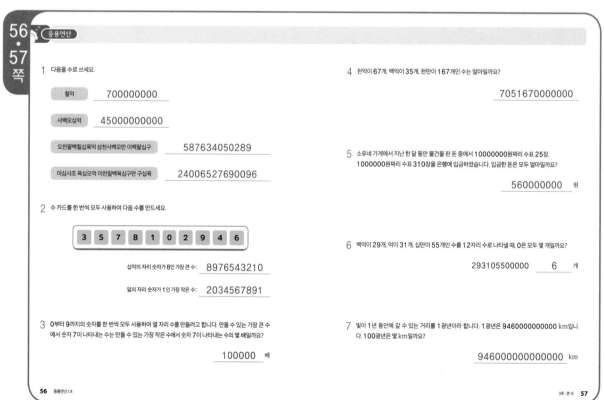

응용연산

1 다음을 수로 쓰세요.

칠억 700000000

사백오십억 45000000000

오천팔백칠십육억 삼천사백오만 이백팔십구 587634050289

이십사조 육십오억 이천칠백육십구만 구십육 24006527690096

2 수 카드를 한 번씩 모두 사용하여 다음 수를 만드세요.

3 5 7 8 1 0 2 9 4 6

십억의 자리 숫자가 8인 가장 큰 수: 8976543210

일의 자리 숫자가 1인 가장 작은 수: 2034567891

3 0부터 9까지의 숫자를 한 번씩 모두 사용하여 열 자리 수를 만들려고 합니다. 만들 수 있는 가장 큰 수에서 숫자 7이 나타내는 수는 만들 수 있는 가장 작은 수에서 숫자 7이 나타내는 수의 몇 배일까요?

100000 배

4 천억이 67개, 백억이 35개, 천만이 167개인 수는 얼마일까요?

7051670000000

5 소유네 가게에서 지난 달 동안 물건을 판 돈 중에서 10000000원짜리 수표 25장, 1000000원짜리 수표 310장을 은행에 입금하였습니다. 입금한 돈은 모두 얼마일까요?

560000000 원

6 백억이 29개, 억이 31개, 십만이 55개인 수를 12자리 수로 나타낼 때, 0은 모두 몇 개일까요?

293105500000 6 개

7 빛이 1년 동안에 갈 수 있는 거리를 1광년이라 합니다. 1광년은 9460000000000 km입니다. 100광년은 몇 km일까요?

946000000000000 km

큰 수 뛰어 세기

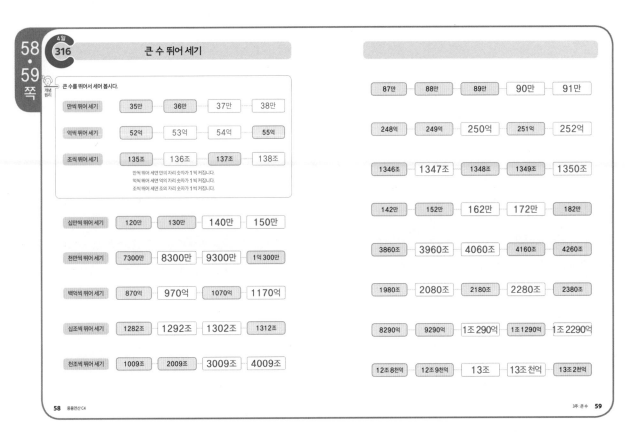

큰 수를 뛰어 세어 봅시다.

| 만씩 뛰어 세기 | 35만 | 36만 | 37만 | 38만 |

| 억씩 뛰어 세기 | 52억 | 53억 | 54억 | 55억 |

| 조씩 뛰어 세기 | 135조 | 136조 | 137조 | 138조 |

만씩 뛰어 세면 만의 자리 숫자가 1씩 커집니다.
억씩 뛰어 세면 억의 자리 숫자가 1씩 커집니다.
조씩 뛰어 세면 조의 자리 숫자가 1씩 커집니다.

| 십만씩 뛰어 세기 | 120만 | 130만 | 140만 | 150만 |

| 천만씩 뛰어 세기 | 7300만 | 8300만 | 9300만 | 1억 300만 |

| 백억씩 뛰어 세기 | 870억 | 970억 | 1070억 | 1170억 |

| 십조씩 뛰어 세기 | 1282조 | 1292조 | 1302조 | 1312조 |

| 천조씩 뛰어 세기 | 1009조 | 2009조 | 3009조 | 4009조 |

| 87만 | 88만 | 89만 | 90만 | 91만 |

| 248억 | 249억 | 250억 | 251억 | 252억 |

| 1346조 | 1347조 | 1348조 | 1349조 | 1350조 |

| 142만 | 152만 | 162만 | 172만 | 182만 |

| 3860조 | 3960조 | 4060조 | 4160조 | 4260조 |

| 1980조 | 2080조 | 2180조 | 2280조 | 2380조 |

| 8290억 | 9290억 | 1조 290억 | 1조 1290억 | 1조 2290억 |

| 12조 8천억 | 12조 9천억 | 13조 | 13조 천억 | 13조 2천억 |

응용연산

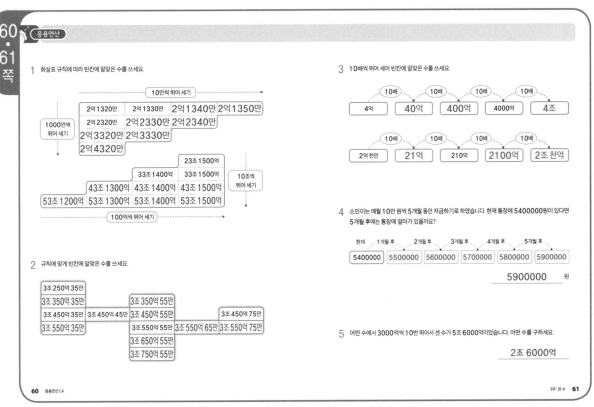

1 화살표 규칙에 따라 빈칸에 알맞은 수를 쓰세요.

10만씩 뛰어 세기

1000만씩 뛰어 세기

2억 1320만	2억 1330만	2억 1340만	2억 1350만
2억 2320만	2억 2330만	2억 2340만	
2억 3320만	2억 3330만		
2억 4320만			

10조씩 뛰어 세기

		23조 1500억
	33조 1400억	33조 1500억
43조 1300억	43조 1400억	43조 1500억
53조 1200억	53조 1300억	53조 1400억	53조 1500억

100억씩 뛰어 세기

2 규칙에 맞게 빈칸에 알맞은 수를 쓰세요.

3조 250억 35만			
3조 350억 35만		3조 350억 55만	
3조 450억 35만	3조 450억 45만	3조 450억 55만	3조 450억 75만
3조 550억 35만		3조 550억 55만	3조 550억 65만	3조 550억 75만
	3조 650억 55만	
	3조 750억 55만	

3 10배씩 뛰어 세어 빈칸에 알맞은 수를 쓰세요.

| 4억 | 40억 | 400억 | 4000억 | 4조 |

10배 10배 10배 10배

| 2억 천만 | 21억 | 210억 | 2100억 | 2조 천억 |

10배 10배 10배 10배

4 소민이는 매월 10만 원씩 5개월 동안 저금하기로 하였습니다. 현재 통장에 5400000원이 있다면 5개월 후에는 통장에 얼마가 있을까요?

| 현재 | 1개월 후 | 2개월 후 | 3개월 후 | 4개월 후 | 5개월 후 |
| 5400000 | 5500000 | 5600000 | 5700000 | 5800000 | 5900000 |

5900000 원

5 어떤 수에서 3000억씩 10번 뛰어서 센 수가 5조 6000억이었습니다. 어떤 수를 구하세요.

2조 6000억

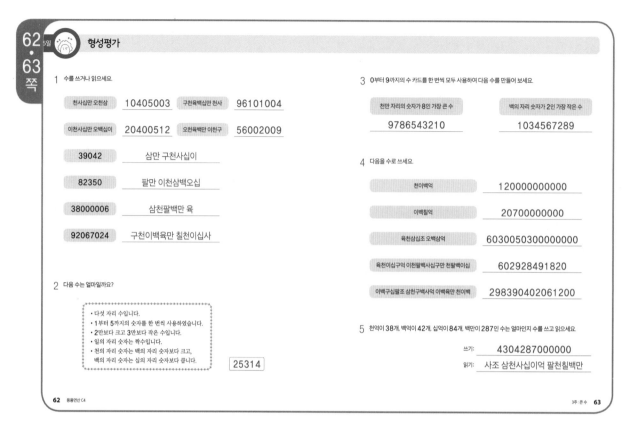

형성평가

1 수를 쓰거나 읽으세요.

| 천사십만 오천삼 | 10405003 | 구천육백십만 천사 | 96101004 |

| 이천사십만 오백십이 | 20400512 | 오천육백만 이천구 | 56002009 |

| 39042 | 삼만 구천사십이 |

| 82350 | 팔만 이천삼백오십 |

| 38000006 | 삼천팔백만 육 |

| 92067024 | 구천이백육만 칠천이십사 |

2 다음 수는 얼마일까요?

- 다섯 자리 수입니다.
- 1부터 5까지의 숫자를 한 번씩 사용하였습니다.
- 2만보다 크고 3만보다 작은 수입니다.
- 일의 자리 숫자는 짝수입니다.
- 천의 자리 숫자는 백의 자리 숫자보다 크고, 백의 자리 숫자는 십의 자리 숫자보다 큽니다.

25314

3 0부터 9까지의 수 카드를 한 번씩 모두 사용하여 다음 수를 만들어 보세요.

| 천만 자리의 숫자가 8인 가장 큰 수 | 백의 자리 숫자가 2인 가장 작은 수 |
| 9786543210 | 1034567289 |

4 다음을 수로 쓰세요.

| 천이백억 | 120000000000 |

| 이백칠억 | 20700000000 |

| 육천삼십조 오백삼억 | 6030050300000000 |

| 육천이십구억 이천팔백사십구만 천팔백이십 | 602928491820 |

| 이백구십팔조 삼천구백사억 이백육만 천이백 | 298390402061200 |

5 천억이 38개, 백억이 42개, 십억이 84개, 백만이 287인 수는 얼마인지 수를 쓰고 읽으세요.

쓰기: 4304287000000

읽기: 사조 삼천사십이억 팔천칠백만

6 수를 뛰어 세어 빈칸에 알맞은 수를 쓰세요.

| 501460 | 601460 | 701460 | 801460 | 901460 |

| 7359억 | 8359억 | 9359억 | 1조 359억 | 1조 1359억 |

| 3540조 | 3550조 | 3560조 | 3570조 | 3580조 |

7 어떤 수에서 100만씩 뛰어 세기를 4번 하였더니 2940만이 되었습니다. 어떤 수를 구하고 구한 방법을 쓰세요.

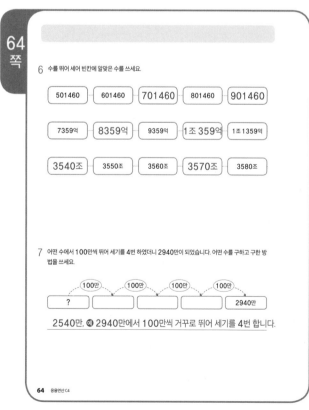

2540만, 웹 2940만에서 100만씩 거꾸로 뛰어 세기를 4번 합니다.

큰 수의 계산

317 큰 수의 덧셈

큰 수의 덧셈을 알아봅시다.

420867 + 290872
= **711739**

```
    4 2 0 8 6 7
  + 2 9 0 8 7 2
    7 1 1 7 3 9
```

자릿수를 맞춘 다음, 같은 자리 숫자끼리 계산합니다. 같은 자리 숫자끼리의 합이 10보다 크거나 같으면 받아올려 계산합니다.

718829 + 91963
= **810792**

```
    7 1 8 8 2 9
  +   9 1 9 6 3
    8 1 0 7 9 2
```

4820718 + 709483
= **5530201**

```
    4 8 2 0 7 1 8
  +   7 0 9 4 8 3
    5 5 3 0 2 0 1
```

3841994 + 5258006
= **9100000**

```
    3 8 4 1 9 9 4
  + 5 2 5 8 0 0 6
    9 1 0 0 0 0 0
```

67415924 + 13092017
= **80507941**

```
    6 7 4 1 5 9 2 4
  + 1 3 0 9 2 0 1 7
    8 0 5 0 7 9 4 1
```

```
    5 5 0 0 9 5
  +   6 0 1 8 1
    6 1 0 2 7 6
```

```
    7 5 8 5 0 4
  + 3 1 0 2 1 8
  1 0 6 8 7 2 2
```

```
    3 4 2 0 9 0 8
  +   9 5 4 6 3 8
    4 3 7 5 5 4 6
```

```
    5 6 1 0 7 7 6
  + 5 8 5 7 0 0 4
  1 1 4 6 7 7 8 0
```

```
    6 0 5 4 8 2 9 0
  +   8 7 0 6 0 7 8
    6 9 2 5 4 3 6 8
```

```
    6 5 5 0 0 8 5 3
  + 2 5 7 1 7 1 5 9
    9 1 2 1 8 0 1 2
```

7810585 + 456456
= 8267041

1580890 + 5643087
= 7223977

54052580 + 9651408
= 63703988

45612789 + 58565421
= 104178210

응용연산

1 다음과 같이 두 수의 합을 구하세요.

팔천삼백오십만 사천이백삼 칠천이십칠만 삼천사백칠십육

```
    8 3 5 0 4 2 0 3
  + 7 0 2 7 3 4 7 6
  1 5 3 7 7 7 6 7 9
```

칠백구십만 삼백구십팔 칠십구만 구천오백구십오

```
    7 9 0 0 3 9 8
  +   7 9 9 5 9 5
    8 6 9 9 9 9 3
```

이천팔십팔만 육천오백팔 천구십오만 칠천육백사

```
  2 0 8 8 6 5 0 8
+ 1 0 9 5 7 6 0 4
  3 1 8 4 4 1 1 2
```

2 □안에 알맞은 수를 쓰세요.

```
      6 2 9 5 4 9
  +     8 4 7 6 8
      7 1 4 3 1 7
```

```
    8 7 5 4 2 8 0 6
  +   3 7 0 2 3 7 5
    9 1 2 4 5 1 8 1
```

3 주어진 수 카드를 한 장씩 사용하여 여섯 자리 수를 만듭니다. 물음에 답하세요.

2	1	0	4	5	7

가장 큰 수와 가장 작은 수의 합을 구하세요.

```
    7 5 4 2 1 0
  + 1 0 2 4 5 7
    8 5 6 6 6 7
```

십만의 자리가 4인 가장 큰 수와 일의 자리가 4인 가장 작은 수의 합을 구하세요.

```
    4 7 5 2 1 0
  + 1 0 2 5 7 4
    5 7 7 7 8 4
```

4 어느 도시의 초등학교 남학생과 여학생 수를 나타낸 표를 보고 이 도시의 초등학생 수를 구하세요.

남학생	여학생
321600명	289850명

321600 + 289850 = 611450   **611450** 명

70·71 쪽

③318 2일 큰 수의 뺄셈

개념원리

큰 수의 뺄셈을 알아봅시다.

718566 − 372967
= 345599

```
  7 1 8 5 6 6
− 3 7 2 9 6 7
  3 4 5 5 9 9
```

자릿수를 맞춘 다음, 일의 자리 숫자부터 차례로 뺄셈을 합니다. 같은 자리 숫자끼리 뺄 수 없으면 받아내림하여 계산합니다.

528004 − 57325
= 470679

```
  5 2 8 0 0 4
−   5 7 3 2 5
  4 7 0 6 7 9
```

2008001 − 509302
= 1498699

```
  2 0 0 8 0 0 1
−   5 0 9 3 0 2
  1 4 9 8 6 9 9
```

7011097 − 5222056
= 1789041

```
  7 0 1 1 0 9 7
− 5 2 2 2 0 5 6
  1 7 8 9 0 4 1
```

87200104 − 16212073
= 70988031

```
  8 7 2 0 0 1 0 4
− 1 6 2 1 2 0 7 3
  7 0 9 8 8 0 3 1
```

```
  7 3 9 8 5 1
−   9 0 0 7 0
  6 4 9 7 8 1
```

```
  8 3 4 9 8 0
− 1 4 8 7 0 2
  6 8 6 2 7 8
```

```
  5 1 4 0 8 8 0
−   3 4 7 2 1 5
  4 7 9 3 6 6 5
```

```
  8 2 1 0 7 5 6
− 5 5 2 8 0 1 0
  2 6 8 2 7 4 6
```

```
  7 0 2 3 9 6 9 3
−   7 6 0 8 2 0 7
  6 2 6 3 1 4 8 6
```

```
  9 5 4 8 0 8 7 1
− 3 5 2 0 7 1 4 9
  6 0 2 7 3 7 2 2
```

7810585 − 456456
= 7354129

1580890 − 564308
= 1016582

54052580 − 9651408
= 44401172

95612789 − 58565421
= 37047368

72·73 쪽

응용연산

1 두 수의 차를 구하세요.

백칠십삼만 구천칠십오
팔십팔만 구십육

```
  1 7 3 9 0 7 5
−   8 8 0 0 9 6
    8 5 8 9 7 9
```

천오백이만 육백칠십오
육백칠십칠만 칠천팔십팔

```
  1 5 0 2 0 6 7 5
−   6 7 7 7 0 8 8
    8 2 4 3 5 8 7
```

2 □안에 알맞은 수를 쓰세요.

```
  6 5 8 0 [4] 2 1
− 1 6 8 9 3 7 2
  4 8 9 1 0 4 9
```

```
  5 4 0 0 5 7 0 [3]
−   8 2 0 9 4 1 0
  4 5 7 9 6 [2] 9 3
```

3 0부터 3까지의 숫자를 각각 두 번씩 사용하여 여덟 자리 수를 만듭니다. 물음에 답하세요.

가장 큰 수와 가장 작은 수의 차를 구하세요.

```
  3 3 2 2 1 1 0 0
− 1 0 0 1 2 2 3 3
  2 3 2 0 8 8 6 7
```

셋째로 큰 수와 셋째로 작은 수의 차를 구하세요.

```
  3 3 2 2 1 0 0 1
− 1 0 0 1 2 3 3 2
  2 3 2 0 8 6 6 9
```

4 어느 도시의 총 인구 수를 나타낸 표입니다. 여자는 모두 몇 명일까요?

남자	여자	총 인구
1098265명	903880 명	2002145명

5 어떤 수에 26510024를 더해야 할 것을 잘못하여 뺐더니 9241508이 되었습니다. 바르게 계산하면 얼마일까요?

□ − 26510024

잘못된 식: 예) 9241508 _____ 어떤 수: 35751532

바르게 계산하기: 예) 35751532 + 26510024 답) 62261556
= 62261556

319 큰 수 곱하기 몇십, 몇백, 몇천

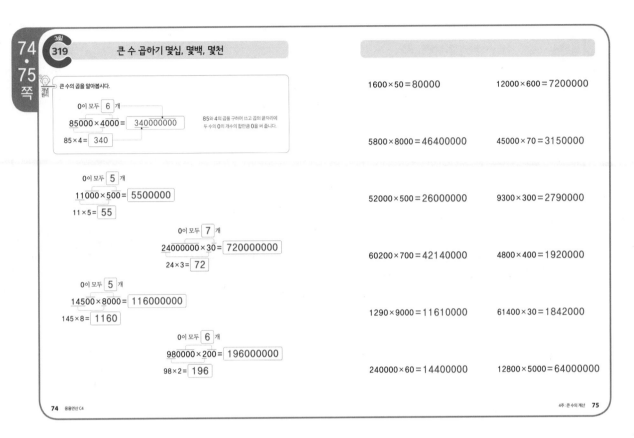

개념 큰 수의 곱을 알아봅시다.

0이 모두 **6** 개

$85000 × 4000 =$ **340000000**

$85 × 4 =$ **340**

85와 4의 곱을 구하여 쓰고 곱의 끝자리에 두 수의 0의 개수의 합만큼 0을 써 줍니다.

0이 모두 **5** 개

$11000 × 500 =$ **5500000**

$11 × 5 =$ **55**

0이 모두 **7** 개

$24000000 × 30 =$ **720000000**

$24 × 3 =$ **72**

0이 모두 **5** 개

$14500 × 8000 =$ **116000000**

$145 × 8 =$ **1160**

0이 모두 **6** 개

$980000 × 200 =$ **196000000**

$98 × 2 =$ **196**

$1600 × 50 = 80000$

$12000 × 600 = 7200000$

$5800 × 8000 = 46400000$

$45000 × 70 = 3150000$

$52000 × 500 = 26000000$

$9300 × 300 = 2790000$

$60200 × 700 = 42140000$

$4800 × 400 = 1920000$

$1290 × 9000 = 11610000$

$61400 × 30 = 1842000$

$240000 × 60 = 14400000$

$12800 × 5000 = 64000000$

응용연산

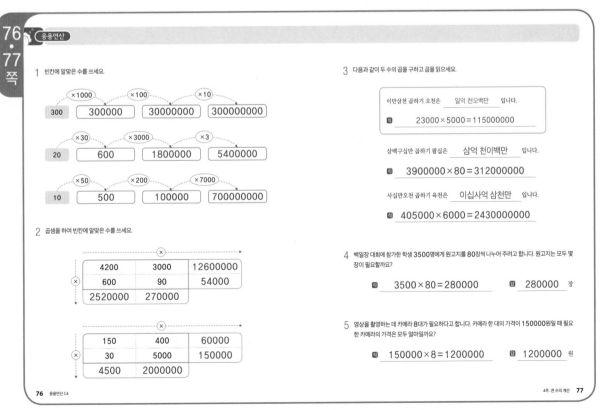

1 빈칸에 알맞은 수를 쓰세요.

300 →(×1000)→ 300000 →(×100)→ 30000000 →(×10)→ 300000000

20 →(×30)→ 600 →(×3000)→ 1800000 →(×3)→ 5400000

10 →(×50)→ 500 →(×200)→ 100000 →(×7000)→ 700000000

2 곱셈을 하여 빈칸에 알맞은 수를 쓰세요.

⊗		
4200	3000	12600000
600	90	54000
2520000	270000	

⊗		
150	400	60000
30	5000	150000
4500	2000000	

3 다음과 같이 두 수의 곱을 구하고 곱을 읽으세요.

이만삼천 곱하기 오천은 __일억 천오백만__ 입니다.

식 $23000 × 5000 = 115000000$

삼백구십만 곱하기 팔십은 __삼억 천이백만__ 입니다.

식 $3900000 × 80 = 312000000$

사십만오천 곱하기 육천은 __이십사억 삼천만__ 입니다.

식 $405000 × 6000 = 2430000000$

4 백일장 대회에 참가한 학생 3500명에게 원고지를 80장씩 나누어 주려고 합니다. 원고지는 모두 몇 장이 필요할까요?

식 $3500 × 80 = 280000$　　답 280000 장

5 영상을 촬영하는 데 카메라 8대가 필요하다고 합니다. 카메라 한 대의 가격이 150000원일 때 필요한 카메라의 가격은 모두 얼마일까요?

식 $150000 × 8 = 1200000$　　답 1200000 원

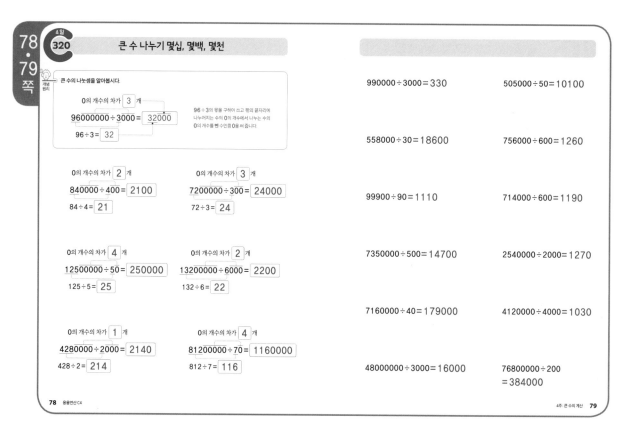

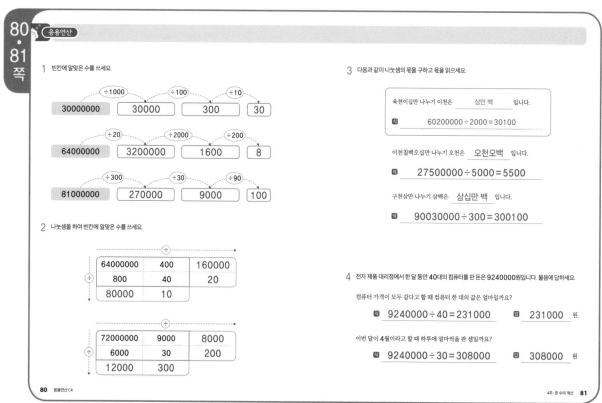

5일 🐶 형성평가

1 두 수의 합을 구하세요.

> 오백삼십칠만 이천구백사
> 육십이만 사천칠백십칠

```
  5 3 7 2 9 0 4
+   6 2 4 7 1 7
  5 9 9 7 6 2 1
```

> 육천삼백오십만 이백오십오
> 이천사백육십이만 구천팔백사십구

```
  6 3 5 0 0 2 5 5
+ 2 4 6 2 9 8 4 9
  8 8 1 3 0 1 0 4
```

2 ☐안에 알맞은 수를 쓰세요.

```
  4 7 6 0 2 8 7
+ 1 3 8 9 7 3 4
  6 1 5 0 0 2 1
```

```
  7 6 8 3 1 4 5 8
+   4 5 2 7 9 8 4
  8 1 3 5 9 4 4 2
```

3 두 수의 차를 구하세요.

> 삼천이백칠십만 천백이십삼
> 천팔백구십육만 사천삼백이십칠

```
  3 2 7 2 1 1 2 3
- 1 8 9 6 4 3 2 7
  1 3 7 5 6 7 9 6
```

> 팔천삼만 십육
> 오천이백사십팔만 천오백이십팔

```
  8 0 0 3 0 0 1 6
- 5 2 4 8 1 5 2 8
  2 7 5 4 8 4 8 8
```

4 어떤 수에서 12090604를 빼야할 것을 잘못하여 더했더니 50580605가 되었습니다. 바르게 계산하면 얼마일까요?

☐+12090604

잘못된 식: 예 = 50580605   어떤 수: 38490001

바르게 계산하기: 예 38490001 − 12090604   답 26399397
= 26399397

5 곱셈을 하여 빈칸에 알맞은 수를 쓰세요.

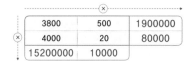

×		×
3800	500	1900000
4000	20	80000
15200000	10000	

6 한 상자에 5600개씩 들어 있는 블루베리가 6000상자가 있을 때 블루베리는 모두 몇 개일까요?

예 5600 × 6000 = 33600000   답 33600000 개

7 나눗셈을 하세요.

4900000 ÷ 700 = 7000   4000000 ÷ 5000 = 800

81000 ÷ 30 = 2700   4160000 ÷ 800 = 5200

432000 ÷ 6000 = 72   252000 ÷ 40 = 6300

8 가방 500개를 팔아 28500000원을 벌었다면 가방 한 개의 가격은 얼마였을까요?

예 28500000 ÷ 500 = 57000   답 57000 원

66

Numbers rule the universe.

99

"수가 우주를 지배한다"

Pythagoras, 피타고라스